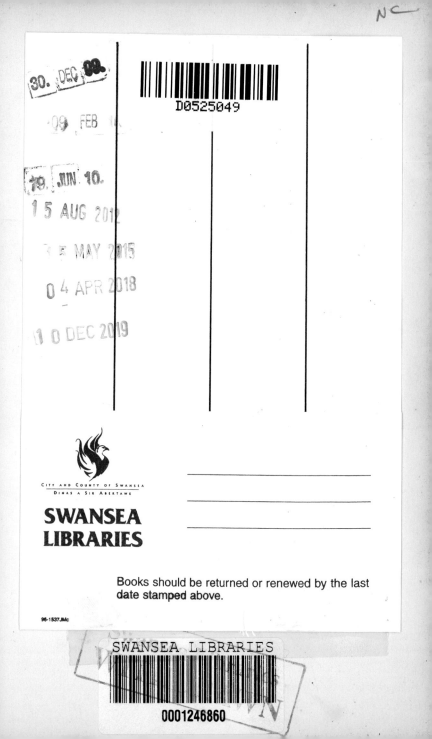

Y TIWNIWR PIANO

CATRIN DAFYDD

Gomer

Cyhoeddwyd yn 2009 gan
Wasg Gomer, Llandysul, Ceredigion SA44 4JL

ISBN 978 1 84323 900 0

Dymuna'r cyhoeddwyr gydnabod cymorth
Cyngor Llyfrau Cymru.

Argraffwyd a rhwymwyd yng Nghymru gan
Wasg Gomer, Llandysul, Ceredigion

pennod un

The piano is able to communicate the subtlest universal truths by means of wood, metal and vibrating air.

Kenneth Miller

Bwrodd Efan ei ben yn erbyn nodau'r piano. Beth ddiawl oedd hynna? Sŵn rhyfedd i ddechrau ac wedyn – aw, teimlodd boen yn dirdynnu trwy'i ben. Mae'n rhaid ei fod e wedi cwympo i gysgu, ac wedi lando'i ben ar y dam piano oedd o'i flaen. Oedd hynny'n bosibl? Edrychodd ar ei oriawr. Hanner dydd. Oedd, roedd hi'n bosibl. *Shit*, meddyliodd, alla i ddim parhau i wneud hyn dro ar ôl tro. Cododd ar ei eistedd. Oherwydd bod ei droed ar y pedal, roedd sŵn nodau anghytsain y piano yn dal i ganu wrth iddo fwytho'i ben.

O leia, roedd y lle'n dal yn dawel. Neb wedi dod yn eu holau. A diolch i'r drefn am hynny. Pwy glywodd sôn erioed am diwniwr piano yn cwympo i gysgu ar y job? Daeth pang o euogrwydd drosto wedyn. Roedd y teulu 'ma'n rhai neis. Yn rhai digon caredig. Cardis oedden nhw, ond eu bod nhw'n byw yng Nghaerdydd erbyn hyn. Chwarae teg, roedden nhw wedi bod yn gyflogwyr cyson ers tair blynedd, byth ers i Efan ddechrau'r gwaith tiwnio 'ma. Wrth fwytho'i ben eto teimlai'n fwy euog fyth am eu bod nhw wedi ymddiried ynddo, wedi gadael yr allwedd o dan y pot paent rhydlyd yn y sied, er mwyn iddo gael dod i mewn ar ei ben ei hun. A beth oedd Efan wedi'i wneud? Cwympo i gysgu ar y job. Gallai glywed Ceridwen yn ei watwar mai dyna roedd e'n ei wneud drwy'r amser yn yr ystafell wely hefyd. Wrth gwrs, mae euogrwydd yn magu euogrwydd – a dyna'n union a ddigwyddodd wedyn. Dechreuodd glywed holl blant ysgol Glantaf yn canu'n un côr, *you is a shit teacher you is, Mr Harry*. Cochodd at ei glustiau wrth gofio am ei brofiadau fel athro, er nad oedd neb yn yr ystafell gydag e nawr i'w sarhau. Ceisiodd wthio'r atgofion o'i ben wrth syllu ar y piano ond, *fuck it,* roedd angen paned arno. Oedodd am eiliad cyn codi ac ymlwybro'n lladradaidd at y gegin. Cofiodd fod Sheila, perchennog y tŷ, wedi ffonio neithiwr gan ddweud wrtho am helpu'i hun i unrhyw beth oedd yn y ffrij.

'Jiw, na, bydd dim angen, wy'n dod â brechdane,' oedd ateb Efan neithiwr, 'ond diolch i chi, Sheila.'

Wrth gwrs, erbyn hyn, roedd e wedi newid ei feddwl.

Roedd tai ardal Danescourt yn rhai ocê, gyda'r Bîb yn cawrio o un ochr a Radyr a'i thai anferthol yn chwerthin o'r ochr arall. Roedd e'n hoffi Danescourt, o 'styried mai stad o dai oedd hi. Darn o swbwrbia oedd wedi bod yno ers blynyddoedd erbyn hyn. Pryd fyddai'r stadau tai 'ma'n cael eu derbyn gan gymdeithas, tybed? Wedi'r cyfan, ymhen canrif, dim ond tai fydden nhw, fel pob tŷ arall. Roedd pawb fel petaen nhw yn eu herbyn yn yr oes hon. Ond roedd Efan yn hoffi Danescourt am ei fod yn lle mor ysgafn ei naws, y waliau'n denau a'r gerddi'n sgwâr. Bron fod yna ryw symlrwydd yn perthyn i fywyd wrth fynd yno. Ond, oedd, roedd hi'n wir dweud nad oedd unrhyw gymeriad yn perthyn i'r lle. Yn wahanol i Grangetown, wrth gwrs; fanno oedd y lle, ym meddwl

Efan. Wel, roedd yn rhaid iddo feddwl hynny, gan mai dyna lle roedd Crid ac yntau wedi prynu tŷ.

Ymbalfalodd am ychydig yn y tun bisgedi cyn twrio i'r gwaelod un. Iym: Hobnobs siocled. Ei ffefryn. Sglaffio un wedyn, cyn rhoi'r tegell i ferwi. Dim rhyfedd fod ei fol yn dechrau chwyddo. Gwichiodd ei ffôn symudol wrth iddo estyn am gwpan glas tywyll gyda chlust fach. Neges gan Pont, garantîd. Siŵr fod y bastard yn meddwl am ei wyliau Pasg, ac eisiau trefnu sesh. Bastard, meddai Efan yn uchel cyn gwenu. Roedd Pont yn hen foi iawn yn y bôn er ei fod e'n blydi dirprwy mewn ysgol gynradd yn y Barri ac yntau ond yn 28 oed. Edrychodd ar y neges. Bingo! Roedd e'n iawn. Neges gan Pont oedd hi, yn brolio'r gwyliau. Dim shwt lwc i diwniwrs piano; roedd pobl wrth eu blydi boddau yn cael tiwnio'r piano dros y Pasg. Pam, sy'n gwestiwn arall. Roedd eu hanner nhw'n segur drwy'r flwyddyn beth bynnag, a'r lleill yn cael eu malu a'u cam-drin gan blant di-glem heb fymryn o dalent ar gyfyl eu bysedd bach brwnt. Gwthiodd y ffôn yn ôl i'w boced gydag arddeliad, ac agor y ffrij. Anaml iawn y byddai Efan yn mynd â dim o ffrij neb, ond roedd e'n lot fawr o hwyl cael cip. *Anchovies?* Ych, pam yn y byd fyddai rhywun yn eu prynu nhw? Cododd ambell ddarn o ffoil oedd yn gorwedd dros fowlenni mynyddog. Cinio neithiwr. Dim diddordeb. Tun o eirin gwlanog ar eu hanner. *No thanks.* Wrth iddo ymchwilio, chlywodd e mo sŵn y drws ffrynt yn cael ei gau'n ofalus. Chlywodd yr ymwelydd neb chwaith. Ac yna, yn sydyn . . .

'Pwy ffyc?'

Shit! Pwy oedd yno? Sut gallai e egluro hyn? Cododd ei ben o'r ffrij, ac wrth wneud bwrodd ei gorun ar y *worktop* marmor. Damo!

'Shwmai, y . . .', baglodd dros ei eiriau wrth geisio cofrestru'i hwyneb hi. Megan, merch y teulu. 'Dy fam soniodd ddoe, rwbryd, neithwr, y gallen i helpu'n hunan i, wel, i'r stwff yn y ffrij . . .'

Cododd y ferch ei hysgwyddau, 'Fine, sa i'n cêro, rili.'

Gwenodd Efan wedyn; blydi hel, roedd hon wedi datblygu! Beth fyddai hi erbyn hyn? Deunaw?

'Jyst 'na gyd 'na i ofyn yw, bo chi ddim yn gweud wrth Mam a Dad bo chi wedi gweld fi bore 'ma,' meddai hi gan adael i'w llygaid ddisgleirio am eiliad.

Chi?

Edrychodd Efan arni, a'i lygaid yn cwestiynu.

'Dim big deal, like, ond mae'n ddiwrnod ysgol a wy fod . . .'

'Ie, ie . . .' Teimlodd Efan ei hun yn ceisio bod yn cŵl ac yn ddi-hid, 'pai' phoeni, er, ti ddim yn edrych yn ddigon ifanc i fod dal yn yr ysgol chwaith.'

Yn ei ben, roedd hon yn ei dynnu ato ac yn ei gusanu cyn iddo wthio'i ddwylo tuag at ei bronnau ifanc.

'Wel, fi yn 18 like, ond ie, fi'n dal yn ysgol.'

'Ond dydw i ddim,' meddai llais o'r tu ôl i'r drws. Gosododd bachgen ifanc ei ben rhwng ffrâm y drws a'r wal. Gwylltiodd Megan.

'Rhys, myn, ffyc off.'

Sylweddolodd Efan yn go glou beth oedd yn mynd ymlaen. Reit, wy'n gweld, meddyliodd.

'Ma' fe'n stiwdant,' meddai Megan, 'a wedyn mond yn y dydd ni'n gallu gweld ein gilydd. Mae'r nos yn anodd i stiwdants, gyda bod nhw'n gorfod mynd mas drwy'r amser.'

Anodd iawn ydy, y ffycar bach.

Mae'r bastard hwn yn meddwi'n rhacs bob nos ac yn

cysgu gyda phawb, meddyliodd Efan. Winciodd Rhys ar
Efan. Cerddodd Megan yn ôl tuag at y drws gyda'i bag
ysgol yn dal ar ei chefn.

'Cŵl os chi ddim yn dweud dim?' holodd hi.
Gwenodd Efan. 'Os o'n i'n gwbod bo' chi 'ma yn tiwno,
bydden i byth wedi . . .'

Gwnaeth Efan arwydd â'i ddwylo i egluro, 'ie, ie,
popeth yn iawn'.

'Tiwno pianos?' holodd Rhys. '*Ace.*'

Ie, meddyliodd Efan. '*Ace.*'

Aeth y ddau i fyny'r grisiau i botsian ac i garu ac i fod
yn llawer rhy ifanc. Gwthiodd Efan y tun bisgedi'n ôl
i'w le. Roedd e wedi colli chwant bwyd erbyn hyn. Allai
e ddim credu ei fod wedi meiddio meddwl am ferch
ddeunaw oed yn y ffordd yna, ac yntau fwy neu lai'n
briod. Ond y peth gleisiodd ei ego'n fwy fyth oedd na
fydde gan Megan unrhyw ddiddordeb ynddo fe beth
bynnag. Roedd e'n cael ei weld yn *past it* nawr. *Past it* yn
28 mlwydd oed, ac yntau'n tynnu fel tîm rhaffe yn y
coleg.

Aeth yn ôl at y piano. Doedd dim ots gan hwnnw
beth oedd ei oedran e. Canodd ddarn gan Mozart arno
am bum munud, er mwyn boddi sŵn y ddau oedd yn
ochneidio ac yn ymbleseru yn y stafell uwchben. Yna,
dyma ddechrau ar y tiwnio.

Cafodd gyfle i diwnio am rai munudau cyn i'w ffôn
symudol ganu yn ei drowsys. Perodd y cryndod ryw
bleser rhyfedd dros ei goesau i gyd. Edrychodd ar y sgrin
werdd yn fflachio. Gwen oedd yno, un o'i gwsmeriaid
mwyaf selog. Roedd ganddi biano hyfryd. Dyna oedd
wedi ei hudo i'w thŷ hi yn y lle cyntaf. Ond erbyn hyn,
roedden nhw'n ffrindiau.

'Helô Gwen . . . ar gael . . . pryd? . . . Ydw . . . Wrth gwrs, dim probs . . . Iep, wela i chi 'na . . . Ok . . . Ta-ra.'

Doedd bosib fod angen tiwnio'i phiano hi eto? Er, roedd Efan yn deall y sgôr erbyn hyn wrth gwrs. Nid cael tiwnio'i phiano oedd yn bwysig i Gwen, ond cael cwmni a chyfle i glywed y piano yn cael ei ganu. Ochneidiodd Efan; gwell mod i'n cael fy nhalu tro 'ma, dyna 'i gyd, meddyliodd. Er mor hyfryd oedd y piano, a pha mor hyfryd oedd cael mynd i un o dai mwyaf crand Parc y Rhath, doedd hynny ddim yn talu'r bil trydan ar ddiwedd y mis. Ond roedd e'n mwynhau cwmni Gwen, bron digon i beidio â chael ei dalu o gwbl. Doedd Efan erioed wedi dychmygu y byddai'n dod yn ffrindiau gyda dynes dros ei hwyth deg. A *posh bird* hefyd. Doedd Crid erioed wedi cyfarfod â hi, ond roedd hi wedi clywed hanesion amdani. Ar y dechrau, roedd Efan yn arfer brysio adref yn ei gar er mwyn gwneud dynwarediadau ohoni i Crid. Ond o dipyn i beth fe beidiodd hynny, am ei fod e wedi dod i sylweddoli bod yna fwy i'r hen fenyw wedi'r cyfan.

Gallai Efan glywed bod y ddau ifanc yn dal i duchan a gweiddi i fyny'r grisiau. Afiach, meddyliodd, cyn chwarae cordiau'n uchel i foddi sŵn eu hieuenctid.

*   *   *

Safodd Ceridwen uwch ei phen gan wenu.

'Don't worry, love, it won't be very long now,' meddai. Pwyntiodd at ei horiawr er mwyn dynodi yr hyn oedd ganddi mewn golwg. Wedi meddwl, pa iws siarad Saesneg yn hytrach na Chymraeg? Doedd y fenyw ddim yn deall yr un o'r ddwy iaith.

Eisteddai chwaer y fenyw feichiog yn dawel wrth ei hymyl. Roedd y ddwy wedi cyrraedd Caerdydd rhyw wythnos yn ôl o Saudi Arabia, i ymuno ag aelodau eraill o'u teulu oedd yn byw yng Nghaerdydd ers ryw ddeng mlynedd. Ers hanner dydd, roedd Ceridwen wedi bod yn trio cael gafael ar Afaf o'r adran gyfieithu. Roedd yn anodd iawn ar unrhyw fydwraig os na allai gyfathrebu'n rhwydd â'r fam. Roedd Crid yn awyddus i roi hon i orwedd mewn ffordd arbennig, ond heb allu esbonio'n iawn, roedd yn sefyllfa chwithig. Pe bai Ed yma gallai ofyn iddo fe ffonio Afaf, ond doedd dim dynion yn cael dod ar gyfyl genedigaeth Fwslemaidd. Dim dynion hoyw hyd yn oed. Yn lle Ed, blincin Kylie fyddai'n cael dod i helpu. Clwtyn llawr os buodd un erioed. Roedd cael Kylie'n gydweithwraig yn golygu bod yn rhaid i Crid helpu dynes i roi genedigaeth ar ei phen ei hun a cheisio gwarchod Kylie rhagddi hi'i hunan ar yr un pryd.

'Pass me the bedpan, will you, Kyle?' holodd Ceridwen. 'Kylie,' meddai eto, am nad oedd unrhyw symud, 'the bedpan. Cheers.'

Ar ddyddiau fel hyn, roedd eisiau gras. Roedd hi'n casáu'r ffaith nad oedd hi'n gallu gwneud ei gwaith yn iawn, yn casáu'r ffaith nad oedd hi'n cael y cyfle gorau i helpu'r fam i esgor. Y darn mwyaf pwysig, a chyffrous o ran hynny, oedd helpu'r fam gyda'r enedigaeth. Ar ddiwrnod fel heddiw, doedd hi ddim yn cael y cyfle i wneud hynny'n iawn, ac ar ben popeth byddai pentwr o waith papur yn gorfod cael ei gwblhau ar ôl i'r babi ddod i'r byd. Mwy nag arfer, os rhywbeth, oherwydd mai un o dramor oedd y fam. Wrth feddwl am yr holl waith papur, a'r holl fiwrocratiaeth di-bwynt roedd y GIG yn ei orfodi ar y staff, dechreuodd y felan afael yn

Crid. Ac ar yr eiliad honno, ni allai feddwl am ddim gwell na mynd i aros gyda'i brawd a'i deulu yn Abertawe a chael anghofio'r cyfan. Cael dianc, hyd yn oed am un diwrnod – dianc oddi wrth Kylie, oddi wrth y gwaith papur, oddi wrth bopeth.

Dechreuodd y ddynes rwgnach mewn poen a gweddïo'n uchel. Gwisgai ei *awrah* am ei phen, ond gwyddai Ceridwen fod modd iddi ddiosg hwnnw os âi'r boen yn annioddefol. Yna, fel tic y cloc, rhwygodd y ddynes ei phenwisg oddi amdani a gweddïo rhannau o weddi newydd. Doedd dim hawl ganddi adrodd y Qu'ran a hithau heb benwisg.

'la ilaha illaAllah. Allah-humma Salli. Ala Sayyidina Muhammadin Wa Aalihi Wa Sallim.'

Sibrydodd Kylie wrth Ceridwen, *'Oh my life, she's taken 'er thingy off.'*

'Yes,' meddai Ceridwen, *'that's fine.'*

'D'you think we should get a doctor? She looks in a bad way,' meddai Kylie yn llawn consýrn.

Edrychodd Crid arni'n surbwch. Onid oedd pob mam *'in a bad way'* ar ryw adeg cyn rhoi genedigaeth? A beth bynnag, pa les fyddai doctor yn ei wneud? Doedden nhw'n ddim byd ond niwsans ar y ward hon, yn hofran o gwmpas y lle yn dda i ddim i neb. Na, ei busnes hi oedd y geni. Hi fel bydwraig, a neb arall.

Yna, llifodd y broses mor naturiol i'r fam hon ag i'r rhan fwyaf a ddeuai trwy ddrysau Ysbyty'r Brifysgol, a daeth un bychan i'r byd. Er hynny, roedd yn rhaid i Crid gyfaddef bod pob genedigaeth yn wahanol, a phob un yn dod â'i bryderon a'i brydferthwch ei hunan yn ei sgil.

Roedd gweld y peth yn digwydd bob dydd yn anhygoel, a phob mam yn ymdopi'n wahanol – rhai'n gweiddi, rhai'n crio, rhai'n dawel, dawel – ond pawb â'r un canlyniad yn y diwedd. Roedd hyn yn ei rhyfeddu hi weithiau, a hithau'n methu'n lân â llwyddo i feichiogi yn y lle cyntaf. Na, doedd hi ddim am adael i'r peth effeithio arni heddiw. Byddai'n rhaid iddi dderbyn ei bod hi'n lwcus, yn cael profi'r wyrth o weld y babanod yn dod i'r byd. Rhyw ddydd, byddai'n bownd o ddigwydd iddi hithau. Roedd hi'n 34, ac Efan rai blynyddoedd yn iau, ac roedd ganddyn nhw ddigon o amser ar ôl. Gwenodd ar y fam newydd wrth godi'r bychan a'i sychu â thywel glân.

'*A little boy,*' meddai Crid gan wenu, ond wnaeth y fam ddim gwenu'n ôl.

pennod dau

I know a fine way to treat a Steinway

Irving Berlin

Roedd gyrru trwy Gaerdydd a'r tywydd fel roedd e heddiw yn fwy na phleserus. Roedd yn orfoleddus. Gadael Grangetown am 9:30, ar ôl i holl forgrug y dre setlo a chael paneidiau yn eu swyddfeydd. Bellach, roedd modd cael yr hewl i ti dy hun. Gyrrodd o Warwick Street, ar hyd Cornwall Street, tuag at hyfdra traffig di-baid Clare Road. Yno, ar y gornel, cyn troi, sylwodd ar dafarn y Neville ar y gornel. Am eiliad, gwawriodd arno ei fod bron yn dri deg. The Poets' Corner oedd yr hen enw ar y Neville, ond bod y bardd a'i odlau wedi hen ddiflannu erbyn hyn. Mae'n rhaid dy fod ti'n hen os wyt ti'n gwybod y *shit* hyn, meddyliodd cyn gyrru'n gyflym rownd y lorri Brains oedd yn dadlwytho ar Clare Road. Gwasgodd ar yr *acceleralator* a gyrru i ffwrdd oddi wrtho ef ei hun.

Doedd dim i'w wneud ond taflu cryno-ddisg i'r peiriant a meddwl mai ti oedd y person mwya cŵl yn y byd. Wrth gwrs, os wyt ti'n trio bihafio'n cŵl dwyt ti ddim yn cŵl go iawn, yn ôl yr arbenigwyr. Ac roedd Efan Harry yn benderfynol o geisio bod yn cŵl ben bore heddiw. Er na fyddai'n hoffi cyfaddef hynny, roedd e wedi deffro'r bore hwnnw gyda'r bwriad o fihafio'n ifanc. Wedi'r cyfan, dim ond am 28 o flynyddoedd roedd y boi wedi byw ar y ddaear. Taflodd ei offer tiwnio a'i fân betheuach i gwt y car, er ei fod e'n gwybod yn iawn na fyddai Gwen am iddo diwnio'r piano.

Doedd dim iws gwadu, ers rhyw ddwy flynedd bellach roedd y berthynas rhwng y ddau wedi newid. Nid jest cwsmer a thiwniwr oedden nhw bellach, roedd hynny'n bendant. Erbyn hyn, roedd Gwen wedi dechrau galw ar Efan am ffafrau a chwmni. Doedd Efan ddim wedi sylwi i ddechrau, nes ei bod yn llawer rhy hwyr. Wel, nid yn rhy hwyr, efallai. Doedd e ddim yn teimlo dan unrhyw fygythiad ond, wel, doedd e ddim yn cael ei dalu am wneud gwaith rhagor, chwaith. Ffrindiau oedden nhw bellach, mae'n debyg.

Hen fenyw oedd hi, ie, ond roedd Efan wedi dod i sylweddoli ei bod hi'n dipyn o sbarcen yn ei ffordd. Byddai'r ddau'n aml yn rhannu paned o de yn y gegin ac yn rhoi'r byd yn ei le. Neu'n rhoi Caerdydd yn ei le o leia.

Roedd rhywrai eraill yn bwysig iddi hefyd, nid dim ond Efan. Ei thri chi Pekingese, er enghraifft. Nhw â'u blew hir, sgleiniog. Nhw oedd ei bywyd hi ar un wedd. Efallai fod ganddi ffrindiau yn y capel, a ffrindiau'n byw ar yr un stryd, ond y Pekingese oedd ei ffrindiau pennaf erbyn hyn. Ers i'w gŵr hi farw, o leiaf.

Roedd Efan wedi sylwi ar lun o'i merch ar y ddresel yn yr ystafell fyw hefyd, ond doedd hi byth yn sôn amdani am ryw reswm. Doedd fiw i Efan holi beth yn union oedd wedi mynd o'i le rhyngddyn nhw. O weld ei llun, roedd Efan wedi dychmygu bod Greta o leia hanner can mlwydd oed. Ac o'r hyn roedd e wedi'i gasglu, roedd hi'n byw yn Llundain erbyn hyn.

Cnociodd ar ddrws y tŷ. Er ei fod yn arfer parcio'r Volvo Estate rhydlyd ar y ffordd, yn agos at lyn y Rhath, roedd pethau'n wahanol erbyn hyn. Ers y Nadolig roedd Gwen wedi rhoi rhif larwm y garej i Efan a gallai'r Volvo barcio'n dwt yn yr ogof goncrit. Safodd Efan yno gyda'i sach diwnio yn ei ddwylo. Tybed beth fyddai hi'n gofyn iddo'i wneud heddiw? Cafodd gyfle i hel meddyliau tra bod Gwen yn estyn am yr allweddi. Doedd Crid ddim yn hoffi'r ffaith bod Gwen yn cadw ffonio i gael gafael ar Efan, ond doedd hi ddim yn meddwl bod yna unrhyw fygythiad chwaith. Dim gan hen fenyw fach grebachlyd.

'Efan, dewch i mewn!'

Plygodd Gwen ei phen i'w gyfarch mewn ystum Siapaneaidd bron, ac yna gadawodd y drws yn gil agored. Wrth iddo ddod i mewn a chau'r drws y tu ôl iddo, gallai ei gweld hi'n mynd i'r gegin i baratoi paned. Dyma'r drefn bob tro: gadael i Efan wneud ei hun yn gyfforddus. Gallai weld ei choesau'n symud yn ara deg bach. Gallai weld ei chefn hi hefyd. Yn fwa perffaith, bron iawn. Gwallt gwyn wedyn, a digonedd ohono, yn llifo fel candi-fflos heb liw.

'Mae'n braf, grwt! Ddylech chi ddim bod fan hyn yn siarad gyda rhyw hen ffôgi fel fi . . .'

Teimlai Efan yn rhyfedd braidd. Doedd e ddim yn gwybod pam, ond roedd e'n dal i gwestiynu'r ffaith ei bod hi'n ymddiried ynddo i ddod i mewn a chau'r drws; teimlai ei bod hi'n rhy neis tuag ato, yn ei drystio fe'n ormodol rywffordd. Er, wedi dweud hynny, roedd Efan wrth ei fodd.

'Wy wedi paratoi *hot cross buns*. Mae'n Basg, achan, mae'n Basg.'

'Doedd dim ishe i chi,' meddai Efan gan wenu'n

gynnil arni. Gwyliodd hi'n arllwys dŵr berwedig i'r tebot cyn taflu dau gwdyn te ar ei ôl. Yna, trodd yr hylif gyda llwy arian cyn rhoi'r caead yn dalog am ei ben.

'Cerwch chi â'r byns 'te, ac fe garia i'r tebot,' meddai Gwen yn awdurdodol.

'Na,' meddai Efan, 'fe a' i â'r tebot a gewch chi gario'r byns.'

Trodd Gwen tuag ato a'i hwyneb ar un ochr, 'Ddim yn trysto rhyw hen ddwylo shigledig, ife? 'Na ni de.'

I mewn â'r ddau i'r ystafell fyw, yn cario'u picnic yn ofalus. Gosod y te ar y bwrdd coffi wnaeth Efan cyn syllu tuag at y piano. Ac un pert oedd e 'fyd. Roedd yn neis ei weld e 'to. Roedd gweld piano unigryw fel gweld menyw bert. Menyw uffernol o bert 'fyd. Aeth yn syth i eistedd ar ei bwys.

'Sonies i o'r blaen mai yn Hamburg ac Efrog Newydd mae cwmni Steinway wedi'i leoli?' Roedd Efan fel petai mewn perlewyg.

'Do, Efan, ond dwedwch 'to, wy'n hapus iawn i wrando fel ry'ch chi'n gwbod.'

Trodd Efan a gwenu arni. Roedd Gwen fel petai'n ei ddychanu e ryw fymryn. Chwarddodd, a gofyn iddi, 'Y'ch chi'n cymryd y mic? Chi'n meddwl mod i'n *sad*, on'd y'ch chi?'

'*Sad*! rhochiodd Gwen. 'Chi a'ch *sad*! Mae pethe un ai'n *sad* neu'n cŵl y dyddie hyn, on'd y'n nhw? Chi'n gneud i fi wherthin. Pan o'n i y'ch oedran chi, o'dd pethe pwysicach 'da ni i feddwl amdanyn nhw.'

'Pethe fel godro a rhyfeloedd, ife?' holodd Efan, yn hanner chwareus.

'Pethe fel caru,' meddai Gwen gyda winc. Anadlodd yn ddwfn a dal ei phen yn ôl. 'Dewch mla'n 'te, amser stori? Dwi 'di bod yn edrych ymlaen yn arw at eich cael chi 'ma.'

Roedd Efan yn joio gwrando ar Gwen yn siarad. Am ryw reswm, roedd gwrando ar ei llais hi'n ei atgoffa fe o'i fam yn adrodd straeon iddo cyn mynd i'r gwely.

Teimlodd rywbeth yn llyfu'i bigwrn.

'Na, Meredydd, paid!' dwrdiodd ei feistres.

Meredydd oedd Pekingese hyllaf Gwen. Doedd y ddwy arall ddim yn bictiwr, ond roedd hon yn *minger* go iawn. Gwylltiodd Efan wrth sylwi bod ei bidyn wedi ymateb i lyfiad gan gi. Afiach. Edrychodd Efan ar Arianwen a Gwenhwyfar, y ddwy arall. Doedd e ddim yn deall pam fod Gwen wedi cymryd at y fath anifeiliaid ffiaidd. Roedd e'n cofio'n iawn iddo feddwl ei bod hi'n hen fenyw lŵpi pan gwrddodd â hi y tro cyntaf. Yn bennaf oherwydd y blydi cŵn.

'Menywod yw'r cŵn, nage fe?' meddai Efan gan edrych ar Gwen yn croesi'i choesau'n ofalus yn ei chadair. Roedd pob dim yn cael ei wneud mor ofalus.

'Ie, ond bod gan Meredydd "dueddiade".'

'Tueddiade?'

'Ro'n i'n meddwl mod i wedi sôn o'r blaen?' Gostyngodd ei llais, fel petai hi am wneud yn siŵr nad oedd y cymdogion yn clywed: 'Mererid oedd Meredydd, ar un adeg. Allwch chi ddychmygu'r ffys ar y pryd? Pawb yn siarad. Hunllef llwyr. 'Y mai i o'dd yr holl beth, yn ôl Alun.'

'O,' geiriodd Efan yn sensitif, heb wneud sŵn. Alun oedd enw'i diweddar ŵr, ac roedd e wedi hen adael y byd hwn.

'Beth bynnag, dy'ch chi ddim ishe clywed ryw hen straeon di-ddim amdana i a 'ngorffennol! Oes angen tiwno'r piano 'na?' holodd Gwen yn hollol ddiniwed, gan ddangos esgyrn ei bochau'n glir.

Rhedodd Efan ei fysedd dros y piano a chwarae rhyw bedair graddfa wahanol, yna chwaraeodd ddarn byr a gyfansoddodd ryw flwyddyn yn ôl. Hoffai wneud hyn – chwarae darnau oedd yn ymddangos fel petaen nhw'n gymhleth ac yn gofyn am sgìl eithriadol i'w chwarae, ond eu bod nhw'n eitha hawdd yn y bôn, neu o leia o fewn ei *comfort zone* e. Darnau *bravado* oedden nhw, darnau oedd wedi cael eu chwarae dro ar ôl tro.

'Ody, mewn tiwn. Mae'n rili neis cael cyfle i'w chwarae eto.'

'Ody?' Gwenodd Gwen wrth weld y fath olwg o orfoledd ar wyneb ei ffrind.

'Oeddech chi'n gwybod bod cannoedd o gerddorion enwog ddim yn folon chwarae dim byd ond Steinway?'

'Ie, wy'n cofio chi'n gweud . . . ond cariwch mla'n,' meddai Gwen, oedd wedi clywed y stori ganwaith o'r blaen.

'Sori, wy fel *broken record* . . .' ond ar ei waetha aeth yn ei flaen. 'Mae 'na bethe itha *controversial* 'di digwydd 'da'r hen Steinway. Pobl enwog wedi cael eu cosbi am . . . wel, chwarae mewn cyngherddau ar bianos eraill.'

'Rhyfedd o fyd,' meddai Gwen, gan hanner gwenu wrth weld Efan yn mynd i hwyl wrth egluro. 'Dwi'n cofio'r un math o beth yn digwydd gyda Chôr y Pensiynwyr yn ddiweddar. O'dd David Howells wedi cytuno i ganu gyda ni mewn rhyw gyngerdd, a Chôr Pensiynwyr Casnewydd wedi'i wahodd e hefyd. Ac fe wedodd Marian wrtho fe, yn blwmp ac yn blaen, "Drychwch 'ma, David, neu ga i alw chi'n Dave? Sdim ishe rhyw nonsens fel hyn. Un ai ry'ch chi 'da ni, neu dy'ch chi ddim yn bodoli. Côr Pensiynwyr Caerdydd, gorff ac enaid, neu ddim byd o gwbl. So ni'n moyn rhyw seiens fel hyn. Pwy sens bod yn ganwr gwadd i gôr arall yn yr un tymor!" 'Na chi weud!'

Chwarddodd Efan cyn chwarae ambell gord a symud ei goesau. Yna, oedodd.

'Ond mae hynna'n mynd dros y top hefyd, nagyw e,' meddai Efan, wrth ystyried y ffordd eithafol braidd roedd Marian Ronson yn ceisio trefnu lein-yp ecsgliwsif ar gyfer ei chyngherddau.

'Ydy, chi'n iawn, ond mae'n stori dda, on'd yw hi? Er, alla i ddim bod yn sicr mai fel 'na'n union ddigwyddodd hi chwaith,' meddai Gwen, gyda rhywbeth yn disgleirio yn ei llygaid. 'O na, Arianwen, *hot cross buns* Efan yw'r rheina. Bydd di'n ca'l swper sbesial nes mla'n.'

O gornel ei lygad, sylwodd Efan ar Arianwen yn llyfu ochr un o'r byns. Doedd e ddim yn siŵr pa un roedd hi newydd ei lyfu, a dyna oedd y drafferth. Oedd Gwen wedi gweld hyn? Roedd ei golwg yn eitha gwael ers blynyddoedd. Pwysodd Efan yn nes at y piano ac edrych ar raen y pren. Roedd hwn yn offeryn drud, gwerth miloedd.

'Oeddech chi'n gwbod bod Liszt yn defnyddio Steinway?'

'Oeddwn,' meddai Gwen, gan geisio cofio'r stori, 'a rhywun arall hefyd os wy'n cofio'n iawn. Rhywun enwog, hynny yw. Falle Gershwin? A Rubinstein?'

'Rubinstein. Ie,' meddai Efan, wedi gwylltio braidd bod Gwen yn taflu'i ffeithiau ei hun yn ôl ato. *Fe* oedd wedi ei dysgu hi am hyn! Edrychodd arni: oedd yna ryw chwinc yn ei llygad? Oedd hi'n tynnu coes, neu'n dwyn ei holl wybodaeth? Syllodd i'w llygaid gleision hi, a'u hymylon nhw'n goch. Doedd e byth yn gallu dweud gyda Gwen.

Chwaraeodd Efan ran fechan o'r 'Three Preludes', yn wael.

'*Bravo! Encore!*' meddai Gwen yn frwd, a churo dwylo mewn ffordd ddi-hid braidd.

Stopiodd Efan yn stond. Doedd e ddim yn gallu dioddef pobl yn tynnu sylw at ei chwarae, yn enwedig ac yntau'n gwbl ymwybodol o'i safon. Ac eto, fe oedd wedi dewis canu rhyw ddarn ar y piano. Trasiedi o'r mwyaf, ym marn Efan, oedd rhywun oedd yn ymwybodol o ffiniau ei dalent. Rhywun oedd yn ddigon galluog i ddeall nad oedd ei chwarae'n athrylithgar, nac yn debygol o wella mwyach. Yn y bôn, roedd Efan yn ddigon talentog i weld ei ddiffyg talent. Yn ddigon tebyg i fel y byddai Salieri wedi teimlo am Mozart. Deall ei ffiniau am fod yna ryw ryfeddod o berson yn cyfansoddi ac yn chwarae yn yr un ddinas â ti.

Y piano oedd y pwynt i Efan. O roi'r person iawn ar y piano hwn, byddai'n gallu swnio'n anhygoel, ac er bod ei ymdrechion ei hun ar y nodau'n debygol o'i ddiflasu mewn cymhariaeth, dechreuodd eto ar ddarn arall o'r 'Three Preludes'.

O 'nunlle, holodd Gwen, 'Efan. Odych chi'n dal i drio beichiogi?'

Tynnodd Efan ei fysedd oddi ar y piano. Roedd e'n falch o gael y cyfle i stopio chwarae. Trodd ei gorff ar y stôl biano nes ei fod â'i gefn at y creadur pren.

'Mae hi'n dal i drio, ydy, ond sa i'n gwbod rhagor,' meddai Efan a golwg wedi laru arno.

'Chi'ch *dau* sy'n trio, ontefe. Nid dim ond hi,' mentrodd Gwen yn betrusgar.

'Ie, wy'n gwbod. Ond hi sydd eisie. Mae hi'n meddwl bod amser yn rhedeg mas. Ac mae hi'n hala fi lan y wal.'

'Yn naturiol,' meddai Gwen gan arllwys te o'r tebot i mewn i'r cwpanau. 'Fi oedd fel hyn yn ein teulu ni. Alun yn poeni dim am y peth. A fi? Ro'n i'n hollol despret i gal plant.' Estynnodd Gwen law sigledig a chwpan de ynddi tuag at Efan. 'Bynsen?' holodd.

'Na, dim diolch,' meddai Efan gan syllu'n gyhuddgar ar Arianwen a'i thafod afiach.

'O dewch mla'n, a finne 'di'u gneud nhw'n sbesial.'

Nodiodd Efan ei ben a derbyn byn yn ei law. Teimlodd ei geg yn sychu a'r poer yn rhedeg yn ôl i lawr ei wddf.

'Ac fe weithiodd popeth mas i chi yn y diwedd,' meddai Efan, gan hanner-gwahodd rhagor o'r stori, er ei waethaf.

'Do,' meddai Gwen yn simsan, 'ond nid cyn i ni fynd trwy lot fawr o niwl. A'r peth sy'n gwneud i mi chwerthin erbyn heddiw yw bod Greta wedi troi allan i fod yn bopeth do'n i ddim wedi'i ddychmygu.'

'Reit,' meddai Efan, 'dyna mae Dad yn 'i ddweud amdana i.'

'Ddim yn lico bod jyst gydag Alun o'n i. Ddim am fod ar fy mhen fy hunan gydag e – ro'dd e'n ddiflas, a bod yn onest. Na, dyw hynny ddim yn deg. Mae'n siŵr mod innau'n ddiflas hefyd. Doedden ni ddim yn cyffroi'n gilydd. Chi'n gwbod?'

'Ydw,' meddai Efan, 'fi'n gwbod yn iawn.'

'A dyna pam ro'n i mor despret i ga'l babi. Meddwl falle bydde pethe'n dod yn well os gelen i blentyn. Ac ar ôl yr holl ffys, trodd allan ei bod hi yr un mor bathetig â'i thad.'

A dyna oedd diwedd y sgwrs honno. Estynnodd am y byn a dechrau bwyta gydag arddeliad. Doedd Efan ddim wedi clywed Gwen yn trafod Greta gyda'r fath atgasedd o'r blaen. Efallai ei bod hi'n trio gwneud i'w fywyd *fucked-up* e swnio'n dderbyniol trwy or-ddweud pethau am ei sefyllfa hi ei hunan. Er, wedi meddwl, doedd e erioed wedi clywed unrhyw sôn bod Greta'n ymweld â'r Rhath, felly roedd yn rhaid fod yna ryw broblem rhyngddynt.

'Beth am y Pritchards? Pritchards y côr? Aethoch chi draw i'w tŷ nhw yn y diwedd, wythnos dwetha?'

'O do, sori, dylen i fod wedi dweud. Ro'n nhw'n ddigon neis. Ges i ginio gyda nhw.'

'Dalon nhw chi?' holodd Gwen yn siarp.

'Naddo. Ond ma' nhw am anfon y siec yn y post . . .'

'Hm,' mwmialodd Gwen, 'byddwch chi'n lwcus. Hen ddiawled tyn y'n nhw.'

'Wy'n cofio chi'n gweud.'

'Adeg Steddfod Caerdydd, fues i'n gweitho'n galed iawn yn trial 'u cal nhw i gyfrannu. Ond naethon nhw fyth.' Yna, fel rhyw sangiad bach preifat, meddai Gwen, 'Nid mod i'r ffan mwyaf o eisteddfode a phethe felly, cofiwch. Dewis crwydro ar gae gwyrdd gan ddod ar draws pobl ry'ch chi'n trial eu hosgoi nhw drwy gydol y flwyddyn. Wna i fyth ddeall y peth.'

'Iawn 'te,' meddai Efan yn benderfynol, a'i lais yn isel, 'wy'n gwbod be newn ni. Os na newn nhw'n nhalu i, ewn ni yno yn ein balaclafas un noson a gwneud rhyw fath o *robbery* ar eu tŷ nhw, ie?'

'Lladrad, Efan, nid *robbery*. Ond ie, syniad da iawn. Ma' nhw'n ishte ar filiyne yn y lle 'na. Y teulu Pritchard oedd bia hanner tir ardal Llanishen. A be ma' nhw'n 'i roi'n ôl i'r gymuned? Dim yw dim.'

Edrychodd Efan o amgylch yr ystafell am eiliad wrth i Gwen fynnu cael y cwpanau'n ôl i'w hail-lenwi nhw. Blydi hel, roedd y lle 'ma'n enfawr ac roedd y creiriau a'r pethau drudfawr ymhob twll a chornel yn haeddu bod mewn amgueddfa. Sut oedd Gwen yn gallu sôn am gyfoeth pobl eraill a hithau'n amlwg yn werth miloedd ei hunan? Edrychodd ar y lluniau oedd yn hongian mewn fframiau ar y wal. Teimlai'n freintiedig iawn am eiliad, ei fod e'n cael eistedd yn yr ystafell hon ac yn cael ei drin fel brenin. Ond roedd yna rywbeth bach du a hyll y tu mewn iddo'n ei orfodi i feddwl am rywbeth mwy manteisiol fyth: tybed a fyddai Gwen yn ei ystyried e fel rhyw fath o etifedd? Gwyliodd hi am eiliad. Teimlai'n euog; calliodd. Go brin y byddai'n cael braidd dim ar ei hôl, ac eto roedd Gwen yn gwybod yn iawn faint roedd e'n hoffi'r piano. Trodd ei ben a syllu ar yr offeryn o'r newydd. Y pren, y nodau.

'Chi'n dwlu ar y piano 'na on'd y'ch chi?' meddai hi gan wenu'n dawel a syllu arno yn y ffordd mae pobl yn syllu pan maen nhw'n mwynhau gweld pobl eraill yn mwynhau.

Tawelodd; roedd hi bron yn darllen ei feddwl. Er, nid yn llwyr, gobeithio. Gwenodd arni'n betrusgar.

'Ry'n ni'n deall ein gilydd,' meddai, gan syllu'n annwyl arno, a phlygiadau bychain ar groen ei hwyneb yn newid siâp wrth iddi ryddhau ei breichiau a'u rhoi nhw i orwedd ar ei chluniau. 'Y'ch chi'n siŵr eich bod chi'n hapus yn dod i ddweud helô bob yn hyn a hyn? Wy'n teimlo'n euog iawn am y peth.'

'Ydw, wrth gwrs,' meddai Efan, a'i euogrwydd yntau'n pwyso arno braidd. 'Sdim angen i chi deimlo fel'na. Ry'n ni'n ffrindie, on'd y'n ni!'

'Wel, wy *yn* gwerthfawrogi'r ffaith eich bod chi'n galw. Dyw hi ddim mor rhwydd i grwydro'r ddinas fel ro'n i'n arfer neud, a mae cael eich help chi'n wych o beth. Fydda i ddim yn anghofio hyn, Efan.'

Y gwir amdani oedd fod Efan yn gwerthfawrogi cael dianc i'r tŷ hwn, yn edrych ymlaen at y cwmni. Heb allu siarad a thrafod gyda Gwen, ni fyddai fawr o gyfle am therapi yn unlle arall heb dalu crocbris amdano. Go brin y byddai'n gallu rhannu'i deimladau gyda Pont – y dyn mwyaf *macho* a dideimlad yn y ddinas gyfan!

Trodd Efan yn ôl at y piano gan gicio Meredydd yn galed yn ei ddarnau bach. Ar ddamwain. Gwichiodd y creadur.

'W *shit*, ym, sori. Sori, Meredydd.'

Rhedodd y diawl blewog at ei fam, ac edrychodd Efan ar y nodau ifori. Ar ôl cymryd munud i baratoi ei feddwl, chwaraeodd ddarn o 'Étude in E major' Rhif 3, gan Chopin. Efallai ei bod yn ystrydebol, ond roedd hi'n alaw wych. Roedd e wedi prynu copi maniwscript o'r darn ar Amazon am hanner can ceiniog ar ôl clywed y gân ar hysbyseb First Choice Holidays rywdro. Bu bron i Ceridwen daflu'r piano drwy'r ffenest yr wythnos ddiwethaf, ar ôl ei glywed e'n chwarae'r darn am y canfed tro. Ond heddiw, cafodd lonydd i'w chwarae. Swniai fel hwiangerdd a fyddai'n suo baban i gysgu, bron iawn.

Roedd Efan ar fin siarad gyda Gwen eto, pan sylwodd ei bod hi wedi cwympo i gysgu yn ei chadair. Byddai hyn yn synnu Efan yn aml, sut roedd hi'n llwyddo i gwympo i gwsg trwm mor rhwydd. Cododd ac estyn am ei fag. Hen bryd mynd, felly, meddyliodd; dwi wedi cyflawni fy swyddogaeth am y dydd. Edrychodd ar wyneb Gwen wrth iddi gysgu, ar ei diniweidrwydd hi. Tybed a oedd hi'n fenyw bert pan oedd hi'n ifanc?

Teimlai'n euog wrth sleifio o'r ystafell heb ddweud hwyl fawr, ond roedd e'n siŵr y byddai'n well ganddi hi gysgu'n dawel bach na chael ei styrbio. Unwaith eto, roedd e wedi mwynhau bod yn ei chwmni hi, ond roedd un peth wedi ei bigo go iawn. Roedd Gwen wedi cyfaddef mai ei rheswm dros fod eisiau cael babi gydag Alun oedd ei bod hi wedi diflasu gyda'u perthynas. Oedd hi'n trio awgrymu mai dyna roedd Crid yn ei wneud hefyd? Doedd dim pwynt gwadu, roedd y frawddeg honno wedi saethu o'i cheg fel gwaywffon ac wedi ei phlannu'n finiog yn ei ego. Nid yn ei galon, nage, ond yn ei ego.

Wrth fynd am y drws ffrynt gallai weld Meredydd y *transsexual* ac Arianwen a Gwenhwyfar wedi cwtshio gyda'i gilydd o dan ford y gegin. Beth ddiawl oedd yn bod arnyn nhw? Blydi melodrama, meddyliodd. Doedd ei chwarae ddim cynddrwg â hynny, siawns.

'Nôl yn garej Gwen agorodd ei ffôn. Pont oedd yno: bingo! Ond roedd neges arall yno hefyd, un nad oedd wedi clywed ei gwich. Crid.

Darllenodd neges Pont yn gyntaf, achos taw dyna lle byddai'r hwyl i'w gael.

MAE'R FAWD ISHE MYND AM GYRI GYNTAF, FELLY WELA I DI YN Y CORNWALL AM 9 YN LLE 7:30

Blydi tipical: doedd hi ddim yn cael ei galw Y Fawd am ddim rheswm. Blydi *control freak*, meddyliodd Efan. Maen nhw wedi bod yn canlyn ers dyddiau coleg, ac mae hi'n dal i fynnu rheoli popeth mae e'n neud. Mae hi'n blydi obsesd gydag e, meddyliodd. Nele fe byth fynd gyda neb arall, felly pam roedd hi'n poeni?

BAWD BY NAME . . . oedd y neges hynod ffraeth a anfonwyd yn ôl at Pont. Bastard o beth i'w ddweud, ond roedd yr ymdrech bitw yna wedi cymryd oes pys i'w sgwennu am fod yn rhaid gwasgu beiro i dwll lle arferai'r rhif '3' fod.

Yna, edrychodd ar neges Crid. Doedd hi ddim yn anfon negeseuon yn aml.

HAIA! JYST ISHE GWEUD MOD I'N GRYF YN Y CYCLE NOS FORY. CX

Gryf yn y 'cycle'? Yna, fflachiodd sgwrs ryw ychydig wythnosau'n ôl i'w feddwl. Y busnes ofiwleiddio 'ma eto. Dyna oedd popeth y dyddie 'ma. Roedd e'n ddigon hapus i gymryd rhan yn y weithred nos fory; pa ddyn gwerth ei halen fyddai'n gwrthod cynnig o'r fath? Ond oedd raid iddi hi fod mor glinigol ynghylch y peth? Digwyddiad gwyddonol oedd cnucho wedi mynd y dyddiau hyn. Rhyw fath o ymgais wedi'i amseru, ar sail deiet o fitamins, cnau a dim caffîn. Roedd Efan wedi dechrau ei gweld hi'n anodd teimlo bod y weithred yn rhywiol o gwbl. Caru ar hap oedd ei hoff ffordd e o fynd ati. Y cyfnod 'na lle mae cael rhyw ar ben y ffrij yn swnio fel syniad da. Y cyfnod o gael rhyw ar y soffa tra bod pobl yn yr ystafell drws nesaf. Y cyfnod lle nad oes ots lle ry'ch chi, na beth ddiawl yw'r canlyniadau.

CŴL . . . oedd ei ateb, heb gusan. Os mai clinigol roedd hi ei eisiau, roedd Doctor Sperm Efan Harry ar gael ar nos Sadwrn cyn Sul y Pasg, *no worries*. Ceisiodd wthio'r syniad o jôc yn ymwneud ag 'wyau'r pasg' o'i feddwl. Roedd e'n gwybod yn iawn na fyddai Crid yn gwerthfawrogi'r fath hiwmor athrylithgar.

Wrth iddo baratoi ei hun yn feddyliol at yrru'n ôl tuag at Grangetown yn y Volvo gwyn (oedd â mwy o rwd drosto erbyn hyn; roedd newydd weld patshyn newydd ar ddrws y bŵt), teimlodd don o hapusrwydd yn torri drosto'n braf. Roedd yn brynhawn heulog, coed ceirios a magnolia Caerdydd yn llawn blodau, a sesiwn gachu pants gyda'r bois yn aros amdano heno. Bargen, meddyliodd, cyn bagio'r car yn ôl a bwrw Peugeot 107 y ferch ifanc drws nesaf. Sori, shit, dim difrod. Gwenu, codi llaw. Merch ffit hefyd. Ond rhy ifanc. Felly *drive on*, Efan bach, *drive on*.

*   *   *

Pan ddeffrodd Ceridwen am ddeg y bore, roedd Efan wedi hen ddiflannu. Gorweddodd yn y tawelwch am eiliad a symud bysedd ei thraed yn erbyn y cynfas du a gwyn oedd ar y gwely. Braf, meddyliodd. Diwrnod bant. Dyna a hoffai am Warwick Street, a Grangetown yn gyffredinol. Roeddet ti mor agos at y dre ac eto roedd hi'n dawel braf hefyd ac felly roedd modd cael *lie-in* yn rhwydd. Anadlodd a gwrando ar sŵn y gwylanod oedd yn hedfan uwchben y tŷ. Roedd cael rhes hir o ddyddiau i ffwrdd yn ddigwyddiad prin. Er, gwyddai y byddai'n talu'n ddrud amdano hefyd. *Nights* oedd wythnos nesaf, ond ceisiodd anghofio am hynny.

Cofiodd am yr wyau Pasg oedd yn gorwedd ar fwrdd y lolfa. Roedd yn rhaid, rhaid, rhaid iddi fynd at ei brawd yn fuan, er mwyn i'r plant gael y blydi wyau 'na. Er nad oedden nhw'n gwybod *pam* roedden nhw'n cael wyau, chwaith.

Cododd ei dyddiadur ac edrych i weld sut siâp oedd ar ei wyau *hi*. Sylwodd fod y penwythnos hwn yn amser arbennig o dda i geisio beichiogi. Cododd ei ffôn a thecstio neges at Efan.

HAIA! JYST ISHE GWEUD MOD I'N GRYF YN Y CYCLE NOS FORY. CX

Nos fory amdani, felly. Ond beth am heddiw, meddyliodd, beth oedd hi'n mynd i'w wneud heddiw? Roedd ei brawd yn brysur gyda'r plant ac roedd Betsan ei ffrind coleg yn gweithio drwy'r penwythnos am eu bod hi'n rhedeg Carvagios yn y Bae. Ed, meddyliodd; efallai y byddai Ed ag awydd gwneud rhywbeth? Ed oedd ei hachubiaeth hi yn y gwaith. Diolch i'r drefn amdano. Roedd e'n 40, chwe blynedd yn hŷn na hi, ac yn gwneud iddi deimlo'n ifanc. Tŷ bychan yn ardal y Tyllcoed oedd gan Ed. Tŷ bach twt. A dweud y gwir, roedd y tŷ'n agosach at Sain Ffagan mewn ffordd. Ardal gorjys, meddyliodd, llawer brafiach na Grangetown. Roedd Crid yn gwbl sicr fod Ed yn hoyw, ond doedd e erioed wedi sôn am y peth wrthi. Doedd hi ddim yn deall pam ddim, chwaith. Wedi'r cyfan, Caerdydd oedd fan hyn. Pawb yn cael bod yn pwy bynnag maen nhw'n dewis bod. Er hyn i gyd, am ryw reswm, doedden nhw erioed wedi trafod y peth. Roedd e'n camp iawn weithiau, a thro arall yn hollol *macho*. Roedd yn anodd iawn rhoi bys ar pwy yn union oedd Ed. Yn ystod ambell brynhawn hwyliog yn y gwaith roedd Crid wedi trio codi'r pwnc, ond wedi penderfynu peidio ar y funud olaf. Beth os oedd hi'n anghywir? Beth os byddai hi'n pechu Ed, oedd jyst, wel, jyst ychydig bach yn camp?

Byseddodd ei ffôn newydd sbon. Roedd e'n lyfli, yn un *top of the range*. Roedd hi'n cael un newydd bob chwe mis fel rhan o'i chytundeb gyda'r cwmni ffôn. Dyma declyn oedd yn ddigon i godi cywilydd ar ffôn Efan.

Doedd *e* ddim yn fodlon cael un newydd, er bod y botwm am rif 3 a'r llythrennau 'd,e,f' wedi cwympo o'r twll rhyw ddwy flynedd yn ôl. Roedd angen gwasgu beiro'n ddwfn i'r twll er mwyn cael y llythrennau hynny ar y sgrin. Doedd Crid ddim yn deall Efan weithiau. Roedd cael pethau fel ffonau newydd sbon yn ei chynhyrfu hi, a'r syniad o orfod gwasgu beiro i dwll bob tro roedd hi eisiau cyfathrebu gyda rhywun yn ddigon i'w hala hi'n wallgo.

GOOD MORNIN, RISE AND SHINE, ED. FFANSI NEUD RYWBETH BORE MA?

A neges yn ôl yn syth bìn, bron cyn iddi fod wedi anfon y testun.

HEI DARLIN, DEFFO. FFONA FIX

O na bai Efan a dynion hetro-rywiol y byd mor barod eu cymwynas a'u negeseuon testun! Ffoniodd hi Ed yn syth a chytunodd y ddau y byddai trip i Barc y Rhath yn hyfryd, a'r tywydd mor braf.

Roedden nhw wedi trefnu cwrdd am 11:30, ac felly roedd ganddi rhyw awr i'w sbario. Gorweddodd Crid yn ôl ar y gwely. Doedd hi ddim am switsho'r teli mla'n, *no way*. Dim ond crap fel Jeremy Kyle fyddai mla'n beth bynnag. Estynnodd am ei llyfr a darllen rhyw baragraff o gyfrol oedd wedi cyrraedd Rhestr Hir Llyfr y Flwyddyn. O'r hyn roedd hi wedi'i weld o'r llyfr, mae'n rhaid mai mwncwn oedd y beirniaid! Taflodd y llyfr i'r llawr, a theimlo'n euog. Gartre yn Sgiwen byddai Mam wedi colli'i limpyn yn llwyr wrth weld llyfrau'n cael eu strywio ar lawr. Ond roedd Mam wedi hen fynd.

Llifodd llafn o olau'r haul trwy'r bwlch rhwng y llenni. Roedd gwres y golau'n dwym ar ei braich chwith. Lyfli, meddyliodd. Gwyliodd lwch y dydd yn ymdroelli ac yn dawnsio ym mhetryal y llafn. *Who gives a fuck* am bach o ddwst, meddyliodd. Cosai ei chlun; roedd rywbeth wedi'i phigo hi yn ystod y nos. Croen fel 'na oedd ganddi. Croen sensitif. Popeth yn gallu ceryddu'r croen i ddarparu histamin.

Yna, yn dawel fach, gosododd ei llaw rhwng ei choesau, a chael pleser wrth deimlo hi ei hun. Daeth rhyw euogrwydd drosti wrth wneud, a dyfnhaodd ei hanadl hi fwyfwy. Oedden, roedd dynion yn gwneud, ond rywffordd doedd menywod yn dal ddim yn siarad am y peth. Hyd yn oed ar ôl cyfnod *Sex and the city*. Symudodd ei bysedd yn ôl ac ymlaen gan chwarae'n benodol gyda'i chlitoris. Ceisiodd beidio â gadael i'w dychymyg fynd ar ras. Teimlai'n wlyb ac yn gynnes, a theimlad cyfarwydd ei chroen ei hun yn creu rhyw ddedwyddwch tawel ynddi. Ar ôl gwneud, gorweddodd yn ôl ac anadlu'n dawel. Cawod wedyn, a gwisgo'n neis, hyd yn oed os mai dim ond i Barc y Rhath fyddai'r ddau'n mynd.

*　　　　*　　　　*

Wrth i Efan yrru o'r Rhath, daeth neges destun arall. Pwy oedd yno *nawr*? Dim ond Pont a Crid oedd yn hala negeseuon fel arfer. A Jivi weithiau, ond dim ond pan fydde fe eisiau rhywbeth. Yr eiliad iddo gyrraedd rhyw fymryn o dagfa draffig, tynnodd y ffôn o'i boced a darllen y neges. Pont oedd yno, eto.

BAWD YN HOLI OS WYT TI'N RHYDD PNAWN MA. ANGEN TIWNIWR . . .

Bloody cheek, meddyliodd. Pam na fydde fe wedi ffonio ryw ddeuddydd ynghynt i holi os o'n i'n rhydd?

31

Ac eto, doedd e ddim mewn sefyllfa i wrthod. Byddai cyflog pnawn yn dderbyniol iawn. Wrth yrru, bodiodd un llythyren a daeth yn fyw ar y sgrin.

K

Anfonodd y neges a daeth un arall i'w chanlyn, whap.

GWD. FI DAL YN YSGOL, OND MA HI NA

O'r mawredd, meddyliodd Efan, wrth gwrs. Y Fawd ar ei phen ei hun. Doedd e ddim yn siŵr a allai e ddiodde'r fath beth. Roedd hi'n gwneud i Crid ymddangos fel angel o'r nef.

K

Anfonodd y neges yn ôl. Yna, penderfynodd stopio'r car ar hewl fach er mwyn ystyried y ffordd orau o yrru i Dongwynlais. Ystyried. Oedi, a bod yn onest. Eisteddodd yno am ychydig, gan estyn am hen rifyn o'r *Echo* oedd yn gorwedd ar y sedd gefn. Gwnaeth ymgais i wneud y *sudoku* cyn cael digon arno a'i daflu i'r cefn eto.

Yn lwcus, os lwcus oedd y gair, doedd Tongwynlais ddim yn bell o'r fan lle'r oedd e. Gwnaeth *three point turn* gwael ar yr hewl fach, a bant â fe.

Wrth i Efan yrru tuag at y lle, cafodd gyfle i feddwl am Dongwynlais. Roedd hi'n ardal braf iawn. Castell Coch yn y cefndir a digonedd o dawelwch. Roedd Pont a'r Fawd wedi symud yno rhyw dair wythnos ar ôl Nadolig, o Grangetown. Am gyfnod rhyfedd oedd y cyfnod hwnnw, cofiodd Efan; gwylio hen fêt yn parchuso. A nawr bod Pont wedi symud i swbwrbia wledig, ddosbarth canol, 'feri-setld-dawn' y ddinas, roedd Efan wedi gorfod derbyn y ffaith taw oedolion oedden nhw i gyd erbyn hyn. Na, doedd Pont a'r Fawd ddim yn briod,

ond roedden nhw'n *committed* ac wedi prynu'r tŷ gyda'i
gilydd. Priodas o fath erbyn heddiw, sbo.

Gyrrodd Efan i gylchdro Gabalfa ac anelu at ogledd y
ddinas. Yng ngwres y gwanwyn cynnar, roedd yn bleser
cael teithio yn y car. Doedd hi ddim yn chwyslyd o
dwym, ond roedd yna ryw wres melfedaidd i'w deimlo.
Gwres oedd bron iawn a dy suo i gysgu.

Ar ôl gyrru am ryw ddeng munud, a llwyddo i osgoi
golau coch y pedwar golau traffig, cyrhaeddodd Dongwyn-
lais. Chwiliodd am y tŷ bach gwyn oedd drws nesaf i'r tŷ
bach pinc, a pharcio wrth ei ymyl. *Shit*, cofiodd Efan eto, Y
Fawd ar ei phen ei hun. Gallai Pont fentro prynu sawl
peint iddo heno. Ac ar y gair, pwy welai yn syllu drwy'r
ffenest, yn aros amdano, ond Ei Mawrhydi.

How come ei bod hi wedi llwyddo i gael diwrnod bant
beth bynnag? Roedd Anwen, o roi ei henw go-iawn iddi,
yn gweithio fel Ymgynghorydd i'r GIG yn Ne Cymru.
Un o gas bobl Crid. Y bobl oedd yn mynnu
biwrocratiaeth yn hytrach na gwlâu. Y bobl oedd yn
ennill *shit loads* ac yn gwneud y nesa peth i ddim.
Deugain mil? Dim problem. *And the rest!* Cododd Efan ei
law. God, wy'n crîp, meddyliodd.

Cyn iddo allu dweud Stravinsky, roedd e'n eistedd yn
ei chwmni a hithau'n bihafio'n eitha parchus.

'So, Efs, ti'n cael lot o fusnes?'

'Ydw, ai, Cymry Caerdydd t'wel, pawb yn gweud
wrth ei gilydd amdana i.'

'O gwd, wel, wy'n falch, achos . . .'

'Co fe'n dod! Roedd e'n gwybod y byddai hi'n
gwneud, yn hwyr neu'n hwyrach. Gwthio'r gyllell yn
ddwfn i'r briw, gorfod dweud rhywbeth sbeitlyd er
mwyn teimlo'n hyderus.

'Achos wel, ar ôl y ffyc-yp gyda bod yn athro a phopeth, a'r *depression*, wel, o'dd Aled yn becso amdanat ti.'

Sylwer – roedd *Pont* yn becso amdanat ti. Nid hi. Bitsh.

'Sa i *wedi* bod yn *depressed*,' meddai Efan yn ddidwyll.

'Na, na, *fair enough*. Ond mae'n anodd dehongli'r pethe 'ma 'ndyw e? Un mewn pedwar maen nhw'n gweud, ontefe?'

'Beth?' edrychodd Efan arni. Ffyc, roedd hi'n secsi, yn brydferth a'i bronnau maint melons ffrwythlon. Ond ffyc, roedd hi'n bitsh hefyd. Rhyfedd fel mae prydferthwch menyw yn diflannu pan rwyt ti'n dod i ddeall mai ast yw hi.

'Un mewn pedwar yn syffro o *mental illness* rywbryd yn ei fywyd.'

Gwenodd Efan cyn dweud, 'dioddef.'

'Sori?' holodd y Fawd.

'Syffro. Dioddef,' eglurodd Efan yn amyneddgar.

'Ie, wy *yn* gwbod,' meddai'r Fawd braidd yn chwerw, 'ffordd o siarad, ontefe.'

'Ife?' holodd Efan.

'Reit te, tiwnio,' meddai'r Fawd yn ysgafn.

Fel milgi, cododd Efan oddi ar y soffa a gwibio at y piano. Ar ben y celficyn pren (achos dyna oedd yr offeryn yn y tŷ hwn) roedd lluniau cawslyd o Pont a'r Fawd ar wyliau. Lluniau o blant brawd y Fawd wedyn, a llun hollol hilêriys o Pont yn fachgen bach. Chwarddodd Efan yn uchel.

'Hm?' gwthiodd Anwen ei gwddf allan er mwyn i'w phen ddod yn nes iddi gael deall.

'Pont,' pwyntiodd Efan, 'mae'n edrych fel gimp! *Cross between* Humpty Dumpty a ffycin Magi Post!'

34

'Fi'n meddwl 'i fod e'n lun *adorable*,' meddai'r Fawd yn sych.

Llyncodd Efan ei boer. Roedd hi mor sych â darn o Weetabix. Doedd hi byth yn ymlacio, byth yn fodlon gadael i jôc ei chario hi ar don. Gwenodd arni cyn cario mla'n gyda'i waith. Ac roedd angen gwaith hefyd; roedd y piano hwn yn swnio'n uffernol.

*   *   *

Hedfanodd dau bilipala gwyn heibio iddyn nhw ill dau. Roedd hi'n ddiwrnod braf heddiw ac roedd cael tywydd da ar ddiwrnod bant yn gwneud i rywun deimlo'n hunanfodlon iawn.

'Tishe hufen iâ?' holodd Ed.

'Wy'n iawn am funed, ond fe ga i un nes mla'n.'

Cerddodd y ddau gan wylio pawb oedd wrthi'n brysur yn gneud dim byd.

Plant yn taflu bara at y llyn heb yr un hwyaden yn y golwg yn unman. Mamau'n brysio ar ôl eu plant. Hen bâr yn eistedd ar fainc a'u coesau nhw'n flewog i gyd, y naill fel y llall.

'*Mingin*',' meddai Ed wrth weld coesau'r hen ddynes.

'Beth?' holodd Crid gan godi'i sbectol haul ar ei thalcen.

'Paid edrych nawr neu bydd e'n *obvious*, ond mae coese'r hen fenyw draw fanna mor flewog â rhai mwnci. A mae'n rhaid 'u bod nhw'n flewog os wy'n gallu gweld y peth o fan hyn.'

'*Good for her*,' meddai Crid gan wenu a gosod ei sbectol yn ôl ar ei thrwyn eto. Doedd dim angen iddi weld coesau blewog pensiynwraig. 'Do'n i ddim yn meddwl y byddet ti'n becso am bethe fel 'na.'

Edrychodd Crid ar ryw bâr ifanc oedd wedi mentro mynd â *pedalo* ar y dŵr.

'A beth ma *hynna* i fod i feddwl?'

'Sai'n gwbod, ro'n i jyst yn meddwl y byddet ti am i bobl neud fel ma' nhw moyn,' meddai Crid. Ond gwyddai beth roedd hi'n ei olygu wrth hynny go iawn. Wel, gan dy fod ti'n amlwg yn hoyw, do'n i ddim yn meddwl bod blew, blewiach, ffwr, gwallt, yn gwneud rhyw lawer o wahaniaeth i ti. Gan dy fod ti'n hoffi dy gariadon yn flewog. Ond, diolch i'r drefn, ddwedodd hi 'run gair.

Cyn iddyn nhw sylweddoli, roedd y ddau wedi cerdded i gyfeiriad y parc chwarae lle roedd cannoedd o blant wedi heidio i ddringo ar raffau coch a swingio ar siglenni a phethau tebyg. Roedden nhw fel morgrug yn sgrialu i bob man, a'u hanner nhw'n sgrechian am eu bod nhw wedi sgathru eu pen-gliniau neu eisiau tro ar ryw siglen oedd yn cael ei hogio gan ferch fach dew. Gallai Crid weld mamau dosbarth canol y Rhath yno, yn un rhes, drws nesa'n union i griw o famau o Lanedeyrn. Menywod mewn lliain gwyn a sbectols drud, a menywod eraill mewn dillad o New Look a'u gwalltiau'n *peroxide blonde*. Drws nesa i'w gilydd, ond byth yn cyfathrebu â'i gilydd.

'*Give me* un o ferched Ely neu Llanedyrn *any day*,' meddai Ed.

'Ie?' holodd Crid.

'*Too right*. Edrych ar y ponsys 'na draw fanna. Ma' nhw fel *stick insects*.'

'Pilates, t'wel,' meddai Crid yn goeglyd.

'Nage Pilates sy'n gneud i ti edrych fel lolipop. Byta'n ffysi ma' nhw. Gwrthod byta unrhyw beth achos bo' nhw'n *gweud* bo' nhw'n *allergic. Wheat allergy, low GI,* dim cnau.'

'So nhw i *gyd* fel 'na.'

'Falle ddim, ond mae lot ohonyn nhw fel 'na. Ma'n nhw i gyd yn *intolerant* i rywbeth, ond wy'n *intolerant* ohonyn *nhw.* Ai, *Ely girl for me, any day.* Bydde hi ddim yn troi i thrwyn lan ar gyrri.'

Felly mae e'n strêt? Neu'n *bisexual*? Y cyfan allai Crid ei ddweud oedd, 'O, reit.'

'Be ti'n feddwl, "o, reit"?' Syllodd Ed i fyw llygaid Crid. Roedd e wedi dod i ddeall y gwahanol edrychiadau oedd ganddi erbyn hyn.

Ceisiodd Crid newid cyfeiriad y sgwrs, ac esgus ei bod hi'n golygu rhywbeth arall. 'Jyst meddwl o'n i am . . . wel, wy yr un oedran â'u hanner nhw.'

'Wyt. A?'

'Ac mae teuluoedd 'da nhw.'

'Mond *thirty-four* wyt ti.'

Cochodd Crid. Roedd e'n iawn. Doedd hi ddim yn *write-off* llwyr, eto. 'Wy'n gwbod mod i'n itha ifanc, nid 'na be wy'n trio gweud.'

'Mae angen i ti *chillo* mas tam'bach. Beth yw'r holl frys beth bynnag?' Roedd Ed yn prysur golli diddordeb ac yn estyn am ei waled o'i boced.

Teimlodd Crid y geiriau'n llifo o'i cheg er nad oedd hi wedi bwriadu codi'r pwnc o gwbl. 'Sai'n gwbod os bydda i'n *gallu*, 'na i gyd.'

'Rili?' Oedodd Ed, cyn parablu eto, 'wel falle taw Efan sy ar fai,' a phwyntiodd Ed yn syth at ei bidyn.

Doedd hi ddim wedi disgwyl ymateb fel hyn. Roedd hi wedi disgwyl cael cwtsh, neu ryw sylw annwyl. Ond mae'n debyg fod Ed yn iawn. Pam ei bod hi'n gor-feddwl am y peth heddiw a hithau ond yn dri deg pedwar? Roedd lot o amser i fynd nes wel, iddi orffen cael ei misglwyf. Lapiodd Ed ei fraich amdani.

'O der mla'n, 'nei di? *Cheer up*,' meddai. (Mae'n rhaid ei fod e'n hoyw, meddyliodd Crid.) Aeth Ed yn ei flaen yn ysgafn, gan roi cwtsh fach iddi: 'Os yw e'n unrhyw gysur i ti, wy ddim yn gwbod os bydda i'n gallu chwaith. Ok?'

Roedd hi wedi ei synnu. Ai cyfaddefiad ei fod e'n hoyw oedd hyn? Manteisiodd Crid ar y cyfle tra oedden nhw'n sefyll yn y cysgod. Er, doedd hi ddim yn ddigon braf ym mis Ebrill i fod yn y cysgod yn rhy hir.

'Ti'n hoyw, 'ndwyt ti?' Saethodd y geiriau fel datganiad o ben Crid.

Oedodd Ed. Safodd yn syth. Syllodd arni.

'Ti'n siriys?'

Agorodd Crid ei llygaid led y pen.

'*I can't believe it!*' chwarddodd Ed.

'Beth? Ti ddim! O god, fi'n sori.'

'Wrth gwrs bo fi! Fi jyst yn ffaelu credu bo' ti 'di gorfod gofyn.'

'Wel, o'n i byth yn siŵr, byth yn gwbod i sicrwydd.' Baglai Crid dros ei geiriau.

'*Cut the crap*, ti 'di gwbod ers erio'd.'

'Na,' protestiodd hi, 'ti erio'd wedi gweud, so do'n i ddim moyn jyst . . .'

Ymlwybrodd y ddau o'r cysgod nes i'r haul eu taro yn eu hwynebau. Wrth iddyn nhw droedio tuag at y llyn eto, gan ddilyn trywydd y bont, ochneidiodd Ed. 'Sa i'n deall menywod o gwbl. Jyst achos bo' fi ddim yn cario handbags pinc i'r ward, neu'n bod yn *crazy camp*, chi'n meddwl falle bo fi ddim yn *gay*. Anhygoel.'

Wrth i Ed siglo'i ben a chwerthin cafodd Crid gyfle i

ystyried ei naïfrwydd. Roedd Ed yn iawn, meddyliodd. Wrth gwrs ei fod e. Roedd e'n amlwg yn hoyw, ac eto roedd hi wedi para i gwestiynu hyd y diwedd. Yn dal i geisio cyfiawnhau y galle fe falle, falle, fod yn strêt. Ac eto, a bod yn deg, doedd e erioed wedi trafod ei dueddiadau rhywiol gyda hi, er eu bod nhw'n ffrindiau da.

'Fi'n sori,' meddai Crid. 'Ro'dd pethe 'di mynd mla'n yn rhy hir i fi ofyn mewn ffordd, a ninne mor agos. A weithie mae menywod yn trio confinso'u hunen bod rhywun ddim, nes i rywun weud. Sai'n gwbod pam, ond ma' nhw.'

'Shyt yp nawr,' chwifiodd Ed ei freichiau, 'digon am y *gay thing*, k?'

'Ocê.'

Pwysodd y ddau ar bolion ffens y bont. Roedd yr haul yn danbaid fan hyn, yn gynnes ar war y ddau. Mentrodd Crid bwyso'i phen ar fraich flewog Ed.

'I ddod 'nôl at be wedest ti'n gynt,' mwmianodd Crid, 'fe allet ti fabwysiadu.'

'Gallen,' meddai Ed, 'wy'n gwbod.' Gwenodd yntau, cyn oedi ac edrych arni, 'Ti'n teimlo'n ishel, 'nagwyt ti? Fi'n galler gweud.'

'Nagw.' Cafwyd saib annymunol, yna, 'Wel, falle mod i. Twtsh.'

'Ocê, wel bydd raid i ti neud be wy'n neud pan wy'n teimlo fel 'na.'

'Iawn,' meddai Crid. Doedd dim ots 'da hi beth oedd e, roedd hi'n mynd i roi cynnig arno fe.

'Ti'n mynd i ddod mas da fi i glybo.'

'Ocê,' gwenodd Crid. Doedd hi ddim wedi bod allan yn yfed ers amser, yn rhannol oherwydd ei shiffts.

'Y y y,' siglodd Ed ei fys, 'sa i wedi gorffen eto. Clybo yn True o'n i'n 'i feddwl.'

Clwb hoyw enwocaf Caerdydd. Rhaid bod Ed yn gwybod y byddai hyn yn gwthio ffiniau'u perthynas nhw. Faint o'i fywyd oedd e'n mynd i'w ddatgelu iddi?

'Iawn,' meddai Crid heb feddwl ddwywaith. Hen bryd gwneud rhywbeth gwahanol, yn hytrach na dilyn yr un hen drefn.

'Grêt,' meddai Ed gan godi'i aeliau a dangos gwên enfawr. Roedd hi'n amlwg nad oedd e wedi disgwyl i'w ymgais fod mor llwyddiannus, ar y cynnig cyntaf beth bynnag.

'Beth fydde Efan yn gweud!' meddai Crid.

'Drycha,' meddai Ed, 'sa i erioed wedi cwrdd â'r boi. Sen i ddim yn ei nabod e tase fe'n fy mhasio i ar y stryd. Dyw e ddim yn mynd i ffindo mas!'

'Mae 'na'n od, on'dyw e?' Teimlai Crid yn euog; roedd hi'n byw mewn gwahanol fydoedd ar adegau.

'So fe'n *weird* o gwbl, fel 'na mae *pawb* yn byw nawr. *Compartmentalised*.'

'*Compart-mental-ised*,' geiriodd Crid.

Wedi'r hufen-iâ-anhepgor – ar unrhyw drip i Barc y Rhath – aeth y ddau i'w ceir. Gyrrodd Ed yn ôl i'w dŷ bach twt a gyrrodd Crid yn ôl i Warwick Street a'r dyddiad mynd allan wedi'i lynu'n sownd yn ei phen.

pennod tri

If I'm going to Hell, I'm going there playing the piano.

Jerry Lee Lewis

Erbyn i Efan gerdded i'r Cornwall erbyn naw, roedd y bois i gyd yno. Pont yn eistedd yn jocôs reit, blydi athro ar ei wylie. Jivi'n barod ar gyfer noson a hanner, a dyna nhw. Dyna'r criw. Roedden nhw wedi teneuo'n ddiweddar. Nid yn gorfforol. Roedd chwech ohonyn nhw'n arfer bod yn y criw. Roedd Tew, Bari Bangor a Rhys Tidl wedi symud i fyw gyda'u gwragedd i Bontypridd a Chreigiau. Roedd colled ar eu holau nhw a'u seshys. Yr unig beth roedd Rhys Tidl yn ei yfed erbyn hyn oedd Earl Grey neu English Breakfast. Wrth i Efan gerdded i mewn drwy'r drysau canol, sylwodd fod ei gymydog yn sefyll yn ochr y locals. Jerry oedd ei enw. Grangetown *Born and bred.*

'*Alright*, Iffan?'

'*Aye, cheers*, Jer.'

'*Your Welsh mates are over there.*' Pwyntiodd Jerry at y bois oedd yn yr ystafell gefn. Yr ystafell Gymraeg . . . Roedd Efan yn casáu hyn. Doedden nhw ddim yn fwy o '*Welsh mates*' nag yr oedd e. Wrth gwrs, yr eironi mawr oedd taw'r Cymry Cymraeg oedd y mewnfudwyr yn yr ardal hon. Nid Efan ei hun, efallai; bachgen o Gaerdydd

41

oedd e. Ond y gweddill. Gyrrwr tacsi oedd Jerry. A *limousines* hefyd, erbyn hyn. Boi da, boi galluog. Yn erbyn y rhyfel yn Irac.

'*What d'you wan'?*' holodd Efan gan bwyntio at y bar. Doedd e ddim yn gweld Jerry'n aml.

'*Cheers, I'll ave a pint o' Brains.*'

Gwthiodd Efan ei ffordd i flaen y bar a gofyn am ddau beint. Gwenodd Shirley, *bar lady* bwerus y Cornwall, arno.

'*Alright* Shirl?'

Doedd hi byth yn ateb yn ôl. Digon teg, meddyliodd Efan. Wedi derbyn y diodydd aeth Efan draw at y bois, gan fynd â pheint Jerry gydag e er mwyn denu ei ffrind i'r ystafell gefn. Gwenodd Pont ar Jerry.

'*Alright, mate?*' Cytunodd Jerry gyda'i lygaid cyn slochio'i ddiod. 'Shwdi pwrs?' meddai wrth Efan.

Ond wrth gwrs, digwyddodd yr un peth â'r tro o'r blaen gyda Jivi. Ddwedodd e yr un gair wrth Jerry, dim ond plygu'i ben a dweud helô yn dawel. Roedd Jiv yn gês gyda'r bechgyn, yn foi a hanner. Boi o Landysul oedd e, ac er ei fod e'n byw yng Nghaerdydd nawr ers pum mlynedd roedd e'n dal i honni nad oedd e'n gallu siarad Saesneg. Ac a dweud y gwir, doedd bihafio fel hyn yng ngŵydd pobl oedd yn siarad Saesneg yn gwneud dim lles i'w ddefnydd o'r iaith. Roedd y math yma o ymddygiad yn codi cywilydd ar Efan. Byddai Jiv yn gwrthod dweud gair wrth unrhyw ffrindiau di-Gymraeg oedd ganddo. Roedd Efan bron iawn yn gallu synhwyro bod Jiv yn meddwl bod ganddo *cheek* uffernol yn dod â boi di-Gymraeg i'r bac.

Dechreuodd sgwrsio'n ysgafn gyda Jerry, ond roedd yntau'n deall ei fod wedi camu i gylch cyfrin. Wedi iddyn nhw orffen eu diodydd, gydag ambell jôc front gan Pont wedi'i stwffio rhwng y slochian, cododd Jerry ar ei draed.

'*What will it be*, Iffan?'

'*Guinness then, cheers.*'

Ond daeth Jerry yn ei ôl dim ond i osod y peint yn dwt ar y bwrdd o flaen Efan. Gwenodd arno a throi ar ei sawdl.

Roedd yr holl sefyllfa'n codi gwrychyn Efan. Syllodd yn gyhuddgar ar Jiv, oedd â'i wallt du fel y frân yn eistedd fel wìg am ei ben. Roedd hwn yr un mor wael ag unrhyw fewnfudwr arall am beidio â gwneud ymdrech gyda'r bobl leol. Ffycin hel, meddyliodd Efan gan lowcio'i ddiod.

'Sesh heno 'te, bois?' holodd Jiv. 'Edrych mla'n. Ma ishe rhwbeth i godi nghalon i.'

'Trwbwl yn y gwaith, ife?' holodd Pont.

'Nage,' meddai Jiv yn bwdlyd, 'Sara 'di gwrthod rhoid *blow-job* i fi cyn dod mas. Gweud 'i bod hi ar ddeiet.'

Fel arfer byddai pawb yn eu dyble ar ôl y math yma o sylw. Ond doedd Efan ddim hyd yn oed yn gallu gwenu heno. Doedd Jiv ddim yn dawedog erbyn hyn, felly. *Twat*.

Ond diflannodd unrhyw naws gwerylgar wrth i'r cwrw fynd i'w boliau. Doedden nhw mo'r teip oedd yn gwylltio yn eu diod. Ymhen hir a hwyr, daeth rhai o'r tîm *five-a-side* am beint – bois Pen Llŷn oedd y rhan fwya' ohonyn nhw, a digon o hwyl i'w gael 'da nhw hefyd.

Wrth i'r tri adael y Cornwall a cherdded tuag at y dre, cyhoeddodd Pont, 'Ffac, ro'dd y Fawd yn gweud dy fod ti wedi neud gwd job ar y piano. Jolch ti, boi.'

Sdim ffycin ffordd y bydde hi wedi gallu gweud y gwahaniaeth, meddyliodd Efan.

'Paid poeni,' meddai Efan, 'lico'r llun crap ohonot ti ar dop y piano. Gwallt cwrls, dyngarîs, ishte ar wal. Neis.'

Cochodd Pont. Doedd Efan ddim yn credu ei fod wedi sylwi ar Pont yn cochi o'r blaen.

Roedd Jiv yn smygu spliff erbyn hyn. Pam, sy'n gwestiwn arall. Fyddai neb yn gallu'i ddeall e'n siarad mewn eiliad. Rodd Jiv yn gweithio fel ysgrifenyddes i Mudiad Ysgolion Meithrin. Fe oedd yn mynnu galw'i hun yn ysgrifenyddes. Duw a ŵyr pam. Doedd e ddim yn fenyw, doedd e ddim yn hoffi ysgrifennu, a'r unig beth roedd e'n ei wneud ar y cyfrifiadur yn y gwaith oedd mynd ar *Facebook* ac ambell wefan *soft porn*.

'Lle ewn ni 'de?' holodd Jiv.

Rywle lle galli di siarad Cymraeg, meddyliodd Efan. 'Sai'n gwbod, sai'n becso. Pont?'

'Sai'n becso. Sa i 'di dala hi'n iawn 'to.'

Edrychodd Efan ar Pont. Roedd y ddau yn wyth ar hugain oed ac yn dal i feddwl am feddwi'n rhacs fel tasen nhw'n dal yn y coleg. Er bod Efan yn dechrau cwestiynu hyn heno, doedd neb arall fel petaen nhw'n teimlo'r angen i wneud.

'Clwb 'te, ife?' holodd Jiv yn llawn gobaith.

Typical, yr unig le lle gallai'r *dickhead* feddwl am fynd. Fel hyn roedd hi bob penwythnos. Fel arfer, byddai Pont yn llwyddo i ddarbwyllo pawb mai Callaghans oedd y lle i fynd, neu Copa. Dempseys hyd yn oed. Unrhyw le ond Clwb.

'Beth am fynd i'r Shitty? Mae hi'n gynnar, achan. A ta beth, gigs *crap* sy mla'n yn clwb nos Wener. 'Da'r Saeson i gyd,' meddai Pont.

Ie, meddyliodd Efan, byddai peint yn y City Arms yn gwneud y tric.

'O, sa i mor siŵr, bois,' meddai Jiv, 'wy ddim moyn gweld Abi chwel, o gwaith. Mae hi wystad yn y Shitty.'

'Be ti 'di neud nawr?' holodd Efan, er ei fod e'n gwybod yn iawn mai dyna roedd Jivi am iddo'i wneud. Wrth holi, sylwodd Efan ar ei ffrind. Ffyc, roedd e'n olygus. Roedd ei wallt e'n hyfryd o dywyll, ei groen e'n llyfn i gyd, ac roedd ganddo ên fel Buzz Lightyear.

'Ffwcies i ddi.'

Wel 'na sioc. Heb gyffroi gormod, meddai Efan, 'Do fe? A beth am Sara?'

'Paid dishgwl arna i fel 'na, Efan; mae e'n anodd i fi, ok?'

Anodd iawn. *Twat*. Chwarddodd Efan a Pont er mwyn cefnogi'r safiad *macho* roedd Jiv newydd ei wneud.

'Pryd est ti mas wthnos hyn, 'te? 'Da gwaith?'

'Nage mas o'n i. Yn y swyddfa ddigwyddodd e. Amser cino. Os ffindith y bòs mas, wy'n *dead meat*.'

Clap i Jiv. Roedd e'n dal yn ffŵl di-egwyddor, meddyliodd Efan, ac eto roedd 'na rywbeth am y ffaith fod Jiv yn cael gymaint o lwc gyda merched yn codi teimlad o eiddigedd ynddo. Doedd dim gobaith ei gael i'r Shitty Arms heno, roedd hynny'n amlwg. Roedd yr Abi 'ma'n sicr ar ei ôl e. Dyna'r math o foi oedd Jiv; roedd e'n gallu hudo'r merched, gwneud iddyn nhw feddwl bod gobaith 'da nhw. Roedd e'n gwybod yn reddfol sut oedd edrych arnyn nhw, sut i siarad â nhw. Ond y peth oedd, roedd e'n gwybod sut i'w shafftio nhw 'fyd, yn yr ystyr ei fod e'n eu trin nhw fel baw ac yn torri'u calonnau bach nhw'n deilchion. Diawl bach.

'Y Fuwch Goch 'te,' meddai Efan, er y byddai'r lle'n siŵr o fod dan ei sang gyda chyfryngis.

'O cmon, bois, beth am Clwb? Ie? Wy'n gwbod 'i bod hi'n gynnar ond . . .'

Gallai Efan weld o'r jibs roedd Jiv yn eu tynnu, ei fod wedi addo cyfarfod â rhyw ferch yn Clwb, ond doedd e ddim yn y mŵd i'w groesholi heno.

Wrth i'r tri gerdded dros y bont, taflodd Jiv ei spliff i'r dŵr.

'Pam 'yt ti'n towlu hanner spliff?' holodd Pont.

'Sai mo,' meddai Jiv, 'stopo'r temtasiwn o drial smoco yn toilets Clwb?'

'Ond mae'r lle tu fas 'na i ga'l,' meddai Efan.

'So fe'r un peth,' atebodd Jiv, 'mae e'n rhy lân. Mae'n teimlo fel rhywbeth ti *fod* i neud, sy'n deimlad *crap*.'

Roedd Efan yn deall yn iawn. Roedd hi'n anodd ceisio peidio cael ffag yn Clwb. Dyna oedd yn arfer pasio'r amser yn y lle 'na, ac roedd e'n cuddio arogl rhechfeydd y nos hefyd. Ie, mwg ffag oedd yn arfer cuddio dy wyneb rhag y person roeddet ti 'di copio'r wythnos ddwethaf, ond roeddet ti nawr yn trio'i osgoi. Wrth gwrs, doedd neb 'di cael smygu yno ers sbel nawr, ond roedd eu criw nhw'n mynd yno'n fwy aml bryd hynny, adeg y mwg. Yr adeg pan ddechreuodd Caerdydd dyfu.

Ond am heno, cerddodd y tri i Clwb, a hithau'n rhy gynnar.

'Ffyc mi,' meddai Pont, y dirprwy brifathro, 'mae hyn yn atgoffa fi o'r noson gopes i 'da Anwen am y tro cynta.'

'Be?' Edrychodd Efan arno. 'Fan hyn ddigwyddodd yr anffawd 'na?'

Anwybyddodd Pont y sylw. 'Aethon ni i Clwb yn gynnar y noson 'ny 'fyd am ryw reswm.'

This place has a lot to answer for, meddyliodd Efan.

Tynnodd ei siaced yn dynnach amdano. Pam ffyc oedden nhw'n mynd i'r lle 'ma?

Ond erbyn i Efan dalu i fynd i mewn, roedd hi'n rhy hwyr i droi 'nôl. Y tu mewn, roedd y llawr gwaelod yn union fel ag yr oedd yn yr hen amser, ond bod y lle'n wag. Hanner awr wedi deg oedd hi. Doedd fawr neb yno. Mae'n debyg nad oedd heno am fod yn ddiddorol iawn yn y *Welsh Club*, nid bod Efan wedi disgwyl fawr o ddim byd arall. Mentrodd Jiv allan i hongian ei siaced yn yr ystafell gotiau. Daeth yn ei ôl gyda golwg o ryddhad ar ei wyneb. Yn ôl y sôn, roedd pawb lan lofft. Roedd y gig ar y llawr uchaf.

'Lan lofft 'te, bois?'

Cytunodd Efan a Pont gan edrych ar ei gilydd. Gig? Ffycin hel, beth ddiawl? Pwy oedd yn chwarae? Doedd dim syniad gan Jiv, ond soniodd fod 'na lot o bobl yno. Gwenodd Efan: iawn, iawn, man a man a mwnci eu bod nhw'n mynd lan stâr.

Yn sydyn, roedden nhw yng nghanol cannoedd o 'bobl ifanc' a phawb yn mosho i sŵn rhyw fand o'r enw 'Pidyn Pwy'. Am enw gwych, meddyliodd Efan. *Gutted* na feddylies i am yr enw *gwych* hwnnw. Edrychodd Efan o'i amgylch. *Shit*, roedd e'n siŵr ei fod newydd gael cip ar rai o ddisgyblion afiach Glantaf. Y *nhw* nath wneud iddo fod eisiau gadael dysgu, gadael ei yrfa. Disgyblion o'r ysgol lle bu'n ddisgybl ei hun. Syllodd Efan ar *drum set* y band yn drybowdian, a sticer o logo Pidyn Pwy wedi'i lynu arno'n dwt.

'*My God*,' geiriodd Pont, 'mae'r lle 'ma'n llawn pwsi oedd ddim wedi cael eu geni cyn Italia 90.'

Roedd e yn llygad ei le.

'*Aye*,' meddai Efan. Edrychodd i weld sut roedd Jiv yn

teimlo am hyn. Ond roedd e wedi hen ddiflannu, i ganol y 'pwsi' honedig.

Trodd Efan at Pont, 'M.O.M.?'

'O, aros am beint, myn,' ac aeth Pont at y bar gan droi i godi llaw ar fachgen a edrychai fel crwt chweched dosbarth. Daeth y bachgen draw at Pont a dechrau siarad. Roedd e'n beth rhyfedd – roeddet ti'n adnabod dy ffrindiau mor dda ac eto roedden nhw'n adnabod criwiau o bobl ychwanegol na fyddet ti'n eu hadnabod nhw fyth.

Safodd Efan ar ei ben ei hun. Er ei fod e'n wyth ar hugain, roedd e'n dal i gasáu sefyll ar ei ben ei hun mewn clwb nos. Teimlai fel petai'n saith oed ar iard yr ysgol eto. Neb yn dod i siarad gydag e, dim syniad i ba gyfeiriad roedd adref. *Loner,* yng ngwir ystyr y gair. Wrth iddo ddechrau hel meddyliau am y ffaith ei fod e'n dal i deimlo felly, er ei fod wedi byw ar y ddaear am dri deg mlynedd bron iawn, teimlodd rywun yn tapio ar ei ysgwydd. Trodd. Pwy oedd yn sefyll yno mewn sgert fer a chrys-t gyda'r geiriau 'Pidyn Pwy' drosto, ond Megan. Y ferch oedd wedi gweld Efan yn twrio drwy ffrij ei rhieni hi.

'*Alright?*' meddai hi. 'Cofio fi?'

'*Aye,*' meddai, 'be ti'n neud 'ma? Nagoes gwaith cartref gen ti i neud?'

Wrong move, meddyliodd. Pwysleisio'r gwahaniaeth oedran rhyngddyn nhw. Chwarddodd hi'n ysgafn. Roedd hi'n edrych yn wahanol heno, yn hŷn. Pwyntiodd Efan at ei bronnau.

'Pidyn pwy?'

Chwarddodd hi eto, '*No one's asked me tha' before.*'

'Sori,' meddai. Pam ffyc oedd e newydd ofyn hynna?

'Na, mae'n iawn. Ma' nhw'n fand sy yn chweched fi. Matt sy'n canu yw cariad ffrind gorau fi, Cadi?'

Pam fod pob brawddeg gan ferched o Lantaf neu Blasmawr yn swnio fel petaen nhw'n gofyn cwestiwn?

'O, reit,' meddai Efan, gan geisio ymddangos fel petai ganddo ddiddordeb.

'O'dd cariad fi, Rhys – cofio fe?' Nodiodd Efan. 'Ro'dd e'n chware'n gynt. Mae e yn y band Nice One.'

'*Nice one*,' meddai Efan gan wenu. Ffraeth iawn. 'Ble mae e?' holodd Efan.

'Mae e 'di mynd i weld band yn Barfly. Butterfly Big-guns, gwbod? Nhw sydd o Newport, mae Huw Stephens wedi chware nhw cwpwl o weithie.'

'Ym, ie, ydw.' Grêt, meddyliodd Efan, dwi wirioneddol *yn* hen.

Slochiodd Megan ar ei diod, '*Actually* Efan, alla i ddweud rhywbeth wrthot ti? Fi'n *pissed off*.'

Mae hon yn *pissed*, meddyliodd Efan. Ma hi'n bod yn rhy onest gyda rhywun dyw hi ddim yn ei nabod.

'Reit?'

'Mae e'n tŵ-taimo fi, fi'n meddwl.'

'*Idiot*.'

Oedodd Megan am eiliad gan edrych i fyw llygaid Efan. Gwenodd arno, ond cyn i Efan gael cyfle i ddweud unrhyw beth rhyfedd (neu ddiflas) gafaelodd llaw merch arall ym mraich Megan.

'*God, I've been lookin for you like EVERYWHERE!*'

Gwenodd Efan ar y ferch smart newydd. Roedd hi'n fyr iawn.

'Cads, dyma Efan. Efan sy'n tiwno piano Mam a Dad.'

Grêt, fel 'na dwi'n cael fy nabod felly.

49

'*Alright?*' holodd Cads, heb fecso mo'r dam am gael ateb. Ond roedd hynny'n ddigon teg, doedd hi ddim yn ei nabod e.

'Dere i'r toilets, Meg, *I got major news 'bout* Pidyn Pwy.'

'O?' Edrychodd Megan yn ymddiheurol ar Efan. Roedd Megan yn ymddangos gymaint yn hŷn na'i ffrind. Yn fwy aeddfed, yn fwy . . .

'Llun! Llun!' bloeddiodd Cadi'n hyll, cyn estyn i'w bag bach am ei ffôn drud yr olwg. Daliodd y teclyn o flaen Megan ac Efan, a chyn iddyn nhw gael cyfle i brotestio, roedd Cadi wedi clicio'r botwm a'r *flash* wedi eu dallu am eiliad.

Grêt, ystyriodd Efan, bydd y blydi llun 'na ar *Facebook* cyn pen diwedd y noson.

Ac yna, diflannodd Cadi i rywle.

'Sori am Cads. Mae'n pisd. Mae'n mynd fel 'na, mae hi'n lysh *in reality*.'

'A, reit,' meddai Efan. *In reality*: term digon diddorol.

'Ti'n gwbod pwy yw hi, wyt ti?'

'Cariad boi Pidyn Pwy?' cynigiodd Efan yn gloff.

'Ai, ie, ond hi yw merch Gerwyn a Meryl Teifi.'

Doedd Efan ddim yn teimlo mor hen nawr. Roedd gan Efan a Megan ddiddordeb yn gyffredin fan hyn. Y ddau'n gwybod yn union pwy oedd Gerwyn Teifi. Fe oedd yn gyfrifol am y gân 'Sha thre' o'r saithdegau, er ei fod e'n amlwg wedi dewis aros yng Nghaerdydd yn hytrach na mynd sha thre ei hun. Ac ar wahân i hynny, fe oedd rheolwr-gyfarwyddwr cwmni Cyf-rong-ai. Nhw oedd wedi derbyn cytundeb mwyaf *lucrative* S4C eleni. O bryd i'w gilydd, roedd Efan yn cael y pleser o diwnio piano'r teulu. Er, doedd e erioed wedi cael y pleser o gyfarfod â Gerwyn, na Meryl o ran hynny. Maureen y lanhawraig oedd yn agor y drws iddo fel arfer. Un tro, roedd y ddau wedi rhannu ffag blas mintys yn yr ardd cyn iddo adael. Ar ôl tiwnio'r piano, wrth gwrs. Roedd ganddyn nhw dŷ neis, ond roedd e wedi clywed straeon am Gerwyn Teifi, digon i wneud iddo fod eisiau cyfogi.

'*Oh right*, a ma' chwaer 'da hi , nago's e?'

'Ie, Beca.' Pwyntiodd Megan tuag at y criw oedd yn dal i ddawnsio i Pidyn Pwy, 'Dyna hi draw fanna. Oedd hi'n *majorly lucky* ca'l dod mewn. Blwyddyn deg yw hi, ond mae hi wedi shago'r bownser o'r blaen.'

Gwenodd Efan. Doedd geiriau fel 'shago' ddim yn dod yn naturiol i Megan, gallai weld. Roedd e'n hoffi hynny. Cafodd y teimlad hefyd nad oedd Megan mor *street-wise* ag y ceisiau swnio. Y chwaer fach draw fancw wedi 'shagio' bownser? Choeliai Efan fawr.

'Eniwei,' meddai Megan, 'well fi fynd ar ôl Cadi, fi'n meddwl bod hi'n mynd i sbiwio.'

'Ie, ie, 'na ti,' meddai Efan gan edrych arni'n diflannu. Ie, ie, 'na ti, meddyliodd Efan. Da iawn ti. Swnio'n union fel athro sy'n dweud ei fod yn iawn i'w ddisgybl fynd i'w wers telyn. Ac eto, pam ddyle fe fod yn becso am hyn? Doedd dim ots beth oedd hon yn feddwl amdano. Roedd e *out-of-order* wrth feddwl amdani mewn unrhyw dermau ar wahân i ferch a oedd yn ei chlytiau pan oedd e'n ddeg oed.

Daeth Pont yn ôl o'r bar. 'Pwy oedd y boi 'na o't ti'n nabod?'

'Brawd i fachgen wy'n ei ddysgu yn y Barri. Ond yn fwy pwysig, pwy oedd *hi*?'

'O, neb,' meddai Efan gan godi'i ysgwyddau. 'Wy'n tiwno i'w mam a'i thad hi.'

'*Glantaf girl* yw hi?'

'Na,' meddai Efan, 'Pla-mawr fi'n meddwl.'

Ceisiodd y ddau siarad am ambell beth, ond roedd Pidyn Pwy eisioes wedi dechrau ar ei anthem olaf gyda'r alaw yn trywanu clustiau pawb oedd yno.

Wrth iddo lowcio gwaelodion ei beint, cafodd Efan gip ar Jiv yn sleifio o'r lle gyda rhyw ferch fach arall a ddylai fod gartre'n gwneud ei gwaith cartre, tra bod Sara ei ddyweddi'n gwylio *Newsnight* yn y gwely. Yr hen gi ag e.

pennod pedwar

Without music, life would be a mistake.

Friedrich Wilhelm Nietzsche

A hithau'n nos Sadwrn, roedd Crid ac Efan gartre yn Grangetown. Yn gorwedd yn noethlymun.

'Tria 'to os t'ishe.' Edrychodd Crid ar Efan wrth orwedd ei phen ar ei frest.

'Ai, naf i mewn eiliad.'

'Be sy'n bod 'te? Ife fi yw e?'

Roedd Efan yn teimlo'n ofnadwy. Hangofyrs oedd yn gyfrifol am bethau fel hyn.

'Wyt ti ishe i fi neud rhwbeth i ti?' holodd Efan yn dyner.

'Nagw,' meddai Crid. Ciw i Efan deimlo'n fwy ofnadwy fyth. Dyna'r broblem gyda Crid, roedd hi'n rhy hyfryd. Doedd Efan ddim yn dymuno bod yn llipa; edrychai bronnau Crid yn hyfryd o'i flaen. Yn wyn, yn berffaith eu maint. Ac eto roedd e'n llipa. A'i bola hefyd, yn edrych yn llyfn braf am ei bod hi'n gorwedd ar ei chefn erbyn hyn.

'Sdim ots,' meddai Crid, 'ti'n ffansïo cyrri? Af i i nôl un o Walas os ti moyn.'

'Mae'n *half ten*, Crid.'

'Ody,' meddai Crid. 'O'dd Cynyr ar y ffôn yn gynt, moyn i ni fynd draw fory – wyt ti ar ga'l?'

'Ym, ydw.'

Llusgodd Crid ei chorff i'w hochr hi o'r gwely.

'Fi newydd weud mod i *ar ga'l*, be sy'n bod arnat ti?'

Atebodd Ceridwen ddim. Deallodd Efan yn gyflym mai'r broblem oedd ei fod wedi dweud 'ym'. Dylai fod wrth ei fodd gyda'r syniad o fynd i weld Cynyr a'r teulu. Ddyle fe ddim fod wedi bod angen meddwl ddwywaith, gan fod y plant yn golygu cymaint i Crid. Gwyddai Efan yn iawn, felly, pam roedd hi wedi mynd i ochr arall y gwely. Yn ei meddwl hi, os nad oedd ganddo'r amynedd i weld plant ei brawd am ddwyawr ar bnawn Sul, sut fyddai fe gyda'i blant ei hunan? Wrth gwrs, gwyddai Efan yn iawn y byddai pethau'n wahanol gyda'i blant ei hun, ond heno roedd gwrthod plant ei brawd hi'n gyfystyr â gwrthod Crid.

'Paid poeni,' sibrydodd Crid o dan ei hanadl, 'ti'n haeddu *day off*.'

'Na, 'na i ddod, dim problem,' meddai Efan gan wthio'i ben at ei gobennydd hi a rhoi cusan ar ei gên. 'Licen i weld Elen ac Eiry.'

'Ac Elis . . .' meddai Ceridwen yn bwdlyd.

'Ac Elis,' meddai Efan, cyn ychwanegu o dan ei wynt, 'os nad yw e'n sbiwo ar fy ysgwydd i tro 'ma.'

'Efs!' chwarddodd Crid yn sych. 'Ti'n gneud iddo fe swno fel 'tai e 'di 'i neud e'n fwriadol. Babi o'dd e! Ac mae dwy flynedd ers 'nny!'

'Hmm,' pwdodd Efan yn ffug cyn cusanu Crid ar ei thalcen.

'Paid!' chwarddodd. 'Na, wir i ti, sai moyn i ti ddod fory nawr. Ti'n cael *day off*, *end of story*. A wy angen bod 'nôl erbyn chwech beth bynnag, shifft nos.'

'Reit,' meddai Efan gan grafu'i gluniau. Roedden nhw'n cosi am ryw reswm, y ddwy ohonyn nhw.

Pwysodd Crid draw at Efan a phlannu cusan ar ei foch, yna ar ei geg, yna ar ei wddf cyn dilyn trywydd y blew ar ei fola a chyrraedd ei flew cedor. Ac yna, cyn pen dim, roedd sŵn gwylanod Grangetown yn gyfeiliant i'r caru. Annisgwyl ar ôl y pwdu, falle, ond yn fwy melys o'r herwydd. Ac wrth i bethau dwymo, fe ganodd y ffôn symudol.

Cododd Efan ar ei eistedd heb feddwl ac estyn amdano.

'Efs!' cwynodd Crid. Nid hi oedd yn mynd i dderbyn pleser, ond teimlai fod yr eiliad hon yn un bwysig.

'Sori, *fuck's sakes*. Falle taw job yw e.'

'Job? Amser hyn o'r nos?' holodd Crid yn goeglyd.

Edrychodd Efan ar y sgrin; rhif mobeil Gwen Bowen oedd yn fflachio.

'Shyryp am eiliad nawr.' Rhoddodd Efan y ffôn i'w glust.

'Pwy sy 'na?'

'Helo? Gwen. Shwmai.'

Rowliodd Crid ei llygaid ac estyn am ei gŵn gwisgo. Ochneidiodd yn bwdlyd, jyst digon uchel i'r derbynnydd ei chlywed hi.

Rhoddodd Efan ei law yn dynn am y ffôn, rhag i Gwen glywed gwawdio Crid. Cododd o'r gwely a mynd allan o'r ystafell. Aeth i sefyll yn y tŷ bach, yn noethlymun. Roedd e'n rhewi'n gorn. Clywai sŵn Crid yn symud o gwmpas yn yr ystafell wely.

'Ie, ie. Na, deall yn iawn . . . na, na . . . peidiwch poeni. Na, dim byd pwysig. Ie . . . ie . . . iawn . . . ok . . . wy'n gweld . . . poen? . . . O ie? . . . wrth gwrs, dyna ni, pa fath? . . . iawn, dim Pedigree Chum . . . wir? . . . Do'n i ddim yn gwybod hynny. Ych, ofnadwy. Fydd bore fory'n iawn? O'r gore . . . iawn . . . wela i chi cyn i chi fynd am y capel, felly. Iawn . . . nos da, Gwen. Wrth gwrs, na . . . dim trafferth o gwbl . . . yr *Observer*? . . . wrth gwrs . . . bosib na fydd dim ar ôl ond, ie, iawn . . . Yr *Observer* . . . dim problem . . . wir . . . ie, dyna ni. Nos da i chi hefyd. Hwyl . . . Hwyl . . . Beth? . . . Do fe?' Chwarddodd Efan yn uchel am eiliad. 'Ok, cŵl, gewn ni sgwrs am hynny bore fory 'te! Ie, nos da.' Diffoddodd Efan y ffôn gyda gwên lydan ar ei wyneb.

Llwybreiddiodd yn ôl i'r ystafell wely.

'Wel?' meddai Crid oedd â'i phen allan drwy'r ffenest.

'Ti'n gwbod pwy o'dd 'na,' meddai Efan gan edrych ar ei ffôn eto rhag ofn ei bod hi'n dal ar y lein ac yn gallu clywed popeth. Roedd e'n dueddol o fod yn paranoid rhag ofn bod pethau felly'n digwydd.

'Odw, ond beth o'dd hi ishe? . . . T'mod be, wy'n siŵr bod rhif 22 yn delio drygs. Mae boi *arall* newydd fynd mewn 'na nawr.'

'O, reit.'

'A tra bo fi'n cofio, wy'n 'di bod yn siarad 'da Elaine yn rhif 54. T'mod, y ferch o Sir Fôn. Ni'n meddwl trefnu *public meeting* yn y Cornwall.'

'Am be? Y drygis?' holodd Efan yn ddryslyd.

'Y blydi gwylanod 'ma, ondife. Dyw e ddim yn jôc rhagor, Efs. Ma nhw'n cachu dros y siop.'

'Anfon llythyr at y Cyngor sy' ishe,' meddai, wrth roi ei ffôn i orwedd ar y cwpwrdd.

'Ma' ishe mwy na llythyr. Ma' fe 'di mynd yn wa'th yn ddiweddar. Wy'n siŵr bo nhw'n fwy ewn dyddie hyn. Ma'r ffor' ma nhw'n mynd trw'n sbwriel ni, ma fe'n *sick* . . . Eniwei, be' odd *hi* moyn?'

Tynnodd Crid ei phen o'r ffenest a chau'r llenni eto. Tynnodd ei gŵn gwisgo a gosod crys-t Eisteddfod Caerdydd 2008 dros ei phen a thros ei bronnau. Dyna ni am heno, felly, meddyliodd Efan. *Intimacy over.* Doedd e ddim yn hoff o'r ffordd roedd y ddau ohonyn nhw'n gallu bod yn hollol noethlymun gyda'i gilydd y dyddiau hyn heb yr awydd i afael am ei gilydd a chysgu gyda'i gilydd, byseddu'i gilydd, llyfu'i gilydd. Mae'n debyg mai dyma sy'n digwydd i bob perthynas hir-dymor, meddyliodd. Popeth mor gyfarwydd. Ei thethi hi, ei bidyn e, fel cefn dy law.

'Efan? O's ishe fi ofyn 'to? Beth o'dd yr hen ast moyn?'

'O dim, ishe i fi nôl bwyd ci iddi hi.'

'Beth?! Tiwnio pianos ti'n neud . . .'

Chwarddodd Efan, er nad oedd yn gweld y peth yn ddoniol. 'Mae hi'n hen, ishe i fi neud ffafr iddi; dyw hi ddim yn teimlo'n *hundred per cent*. Wedyn mae angen i fi nôl bwyd i'r Pekingese.'

'Pryd ti'n mynd draw?'

Dringodd Efan i'r gwely a diffodd ei ffôn am y nos. 'Mae hi ishe i fi fynd yna cyn iddi fynd i'r capel am chwarter i ddeg.'

'Blydi hel, Efan, os yw hi'n ddigon iach i fynd i'r capel, mae hi'n ddigon iach i byrnu bwyd ci.'

'Falle,' meddai Efan, 'ond fi'n meddwl bo' hi'n meddwl amdana i fel mab iddi, a . . . wel . . . fi'n teimlo'n sori drosti.'

Orffennodd Efan mo'r frawddeg. Roedd e'n teimlo'n euog am ddweud hyn. Y gwir oedd ei fod e'n mwynhau ei chwmni hi'n fwy na chwmni Crid ar adegau. Ac wrth gwrs, pe bai Crid yn gwybod nad oedd wedi cael ei dalu ganddi ers dwy flynedd byddai hi'n sicr o fynd yn wallgo. Ond doedd hi ddim yn gwybod am y ddealltwriaeth oedd rhyngddyn nhw, felly doedd dim iws dechrau egluro.

'O't ti'n chwerthin hefyd,' mwmialodd Crid, wrth dyrchu i ganol y dwfe ar y gwely.

'Mae hi'n ddoniol weithiau,' meddai Efan yn amddiffynnol. Cafwyd saib rhyfedd, wrth i Efan ystyried yr ergyd y tu ôl i eiriau Crid. 'Ti ddim yn jelys o 'mherthynas i â menyw wyth deg mlwydd oed gobeithio!'

Cusanodd Efan ei gwallt hi. Roedd y ddau wedi blino'n lân. 'Wela i di yn y bore,' meddai Efan, gan geisio normaleiddio'r sefyllfa.

Mwmialodd Crid o'i hochr hi o'r gwely, 'Mm, paid â neffro i am naw os mai 'na pryd fyddi di'n codi, k?'

'K, nos da,' meddai Efan a chau ei lygaid. Yr eiliad nesaf daeth wyneb Megan i'w feddwl. *Bugger off*, meddai wrthi. Wy'n rhy hen i gael breuddwydion *sordid* am ferched ifanc. *Been there, done that, bugger off.* Wy'n hapus, wy'n *settled, bugger off.* Caeodd ei lygaid, ac oherwydd grym ei benderfyniad i beidio â gosod blaen ei fys ar y sefyllfa, ceisiodd freuddwydio am gŵn Pekingese a phiano enfawr ar ben mynydd.

Ac fe gysgodd y ddau yn sownd drwy'r nos – Crid ar ei hochr hi o'r gwely, ac Efan ar ei ochr e.

*   *   *

Shit, meddyliodd. *Shit! Shit!* Dwi'n mynd i fod yn hwyr i gwrdd â Gwen. Deffrodd Efan gan sylweddoli ei fod wedi cysgu drwy'r larwm. Rhedodd â holl nerth ei goesau o'r tŷ. Rhuthrodd i brynu bwyd ci, ond nid Pedigree Chum, chwaith. Roedd e wedi cofio'r cyfarwyddiadau hynny. Doedd e ddim yn siŵr pam roedd e'n poeni cymaint am fod yn hwyr, ond *roedd* e'n poeni.

Gyrrodd fel ffŵl ar hyd Boulevard de Nantes nes cyrraedd ei chartref. Parciodd y Volvo Estate rhydlyd ar yr hewl. Doedd dim amser i ffysian gyda pharcio'r car yn y garej. A beth bynnag, roedd Efan yn hanner gobeithio y byddai rhywun yn dwyn y car. Byddai'r manteision insiwrans yn llawer blydi gwell na chadw'r hen groc. Rhedodd at y tŷ gan gydio yn y bag Tesco Metro a churo ar y drws. Roedd e'n casáu gorfod mynd i Tesco. Roedd e wedi penderfynu ceisio prynu'n lleol ers darllen ryw erthygl yr wythnos ddiwethaf. Wel, roedd yr ymdrech honno wedi para am wythnos gyfan. Arhosodd ger y drws ac edrych ar ei oriawr. Chwarter-i oedd hi, ar y dot hefyd. Siawns y byddai Gwen yn dal yno nawr. Ymhen ychydig eiliadau agorodd y drws, ac ymddangosodd ei hwyneb siriol o'r cysgodion.

'Efan? Ife chi sy 'na?'

'Ie, ie,' meddai Efan gan deimlo'n rhyfedd braidd. Siawns ei bod hi'n gallu'i weld e?

'Sori, dyw fy llyged i ddim wedi cyfarwyddo eto. Wy 'di bod yn gorwedd yn y tywyllwch, chi'n gweld.'

Gorwedd yn y tywyllwch?

Camodd Efan i mewn i'r tŷ heb feddwl ddwywaith. Yno'n aros amdano, yn flew ac yn ffys i gyd, roedd Meredydd, Gwenhwyfar ac Arianwen. Peidiwch â blydi llyfu nghoese i, y *twats* gwirion, meddyliodd Efan.

Dilynodd Gwen drwy'r lobi. Aeth y ddau i'r gegin a throdd Gwen ar ei hunion i wynebu Efan. Estynnodd e am y bag a'i roi iddi. Diolchodd hithau gyda'i llygaid. Pesychodd Gwen am eiliad cyn chwarae gyda'i gwallt. Rhyfedd hefyd, doedd Efan ddim wedi sylweddoli o'r blaen bod ei phen hi'n fach mewn perthynas â gweddill ei chorff. Roedd rhai menywod fel 'na, ond oedden nhw? Eu pennau nhw fel marblis a'u cyrff yn edrych fel tasen nhw'n perthyn i rywun arall. Roedd hi wedi gwisgo'n smart eto heddiw, ond edrychai'n flinedig. Sylwodd Efan ar ddarn o dishiw wedi'i wthio i fyny'i llawes hi.

'Fy mai i yw hyn,' meddai Gwen.

'Beth nawr?' holodd Efan.

'Y ffaith mod i'n edrych mor ofnadwy bore 'ma. Ro'n i'n feddw iawn pan ffonies i chi neithiwr, mae arna i ofn.'

'Meddw?' holodd Efan.

'Ie,' meddai Gwen a'i llygaid yn ymddiheuro. 'Odd hi'n gwilydd a dweud y gwir. Ath y côr pensiynwyr mas i Le Gallois. Chi'n cofio i fi sôn?'

'Ym, nadw,' meddai Efan yn short, 'so, *hangover* sy 'da chi?'

Gwenodd Gwen yn ddrygionus cyn syllu'n ymbilgar ar Efan, 'O, wy *yn* flin bo' chi 'di gorfod mynd i shwt drafferth.'

Chwarddodd Efan am eiliad, cyn siglo'i ben wrth edrych ar y llawr.

'Beth?' holodd Gwen, yn chwareus, 'so chi'n meddwl y dyle pobl fy oedran i fod yn mynd ar y pop, 'te?'

Roedd dagrau chwerthin yn ei lygaid erbyn hyn, 'Na, na, jyst, chi'n lot mwy cŵl na fi, 'na i gyd.'

'Twt, chi a'ch cŵl!' meddai Gwen. 'Nage ishe meddwi o'n i. Ca'l fy meddwi gan Trefor Brook yn y côr. Dim ond ers blwyddyn mae e 'di claddu'i wraig, ac mae e 'di mynd yn hollol bysýrc.'

Chwarddodd Efan eto, ac wrth iddo wneud sylwodd o gornel ei lygad fod Gwen wedi peintio'i hewinedd yn binc.

'Aethoch *chi* mas neithiwr 'te?' holodd Gwen. 'A'r cariad, aethoch chi mas 'da'ch gilydd?'

'Ym, naddo, meddai Efan, 'naethon ni . . . aros mewn.'

Gwnaeth Gwen arwydd o 'reit, w, anffodus,' drwy dynnu'i cheg bob ffordd a dangos ei dannedd. 'Paned?' holodd, 'sdim rhaid i fi fynd i'r capel. Mae Gymanfa Sul y Pasg 'da ni heno, a ma' unweth mewn diwrnod yn hen ddigon, so chi'n meddwl?'

'Wrth gwrs. Ie, paned, 'te,' meddai Efan, gan dynnu un o stolion y gegin o'i chuddfan o dan y *breakfast bar*.

'Ac mae gen i ryw *pains au chocolat* 'fyd,' meddai Gwen wrth ymbalfalu drwy'r cwpwrdd gwaelod, 'os alla i ffeindio'r bali pethe.'

Teimlodd Efan straen y dyddiau dwetha'n llifo oddi arno wrth i Gwen rhedeg y tap a pharatoi paned. Roedd dod i'r Rhath, i'w thŷ hi, yn ddihangfa braf. Wrth iddyn nhw eistedd yno'n yfed te (coffi i Efan), dyma'r haul yn codi y tu allan gan anfon rhyw olau gwyn, melfedaidd, i mewn rhwng y bleinds.

'Ond so chi'n 'i ffansïo fe?' holodd Efan. ''Na'r broblem, yfe?'

'Nid fel 'na wy'n meddwl am bethe,' meddai Gwen gan lyfu siocled y *pain au chocolat* oddi ar ei bysedd. 'Wy'n siŵr o fod yn 'i ffansïo fe, os bydden i'n rhoi cyfle i'n hunan styried, ond ro'dd Ceri'n ffrind da i fi, chi'n deall. Allen i byth â gneud hynny iddi hi, er 'i bod hi 'di mynd.'

'Siŵr bydde fe'n itha neis ca'l cwpwl o ddêts,' meddai Efan.

'Bydde,' meddai Gwen, wrth yfed y te'n ofalus o'i chwpan, gan edrych fel pe bai hi'n hanner styried gwenu, 'ond allen i ddim, ddim gyda Trefor.'

Roedd Efan wrth ei fodd â'r ffaith ei bod hi'n mwynhau trafod y pethau hyn. Ac roedd e wrth ei fodd hefyd ei bod hi'n gwybod bod digon o ddewis ar wahân i Trefor hefyd.

'Mae rhwbeth diflas iawn am yr holl beth yn y diwedd,' meddai Gwen yn blwmp ac yn blaen. 'Ma' nhw ishe'ch corff chi, ishe rhyw. Llawer mwy nag y'n ni fenwod ishe erbyn yr oedran hyn.'

Oedodd Efan. Syllodd ar ail hanner ei *pain au chocolat* a chochi.

'Be?' holodd Gwen yn hanner cyhuddgar.

Siglodd Efan ei ben, chwerthin a bwrw'i law yn ysgafn a bwriadol yn erbyn y bwrdd. 'Allwch chi ddim dweud pethe fel na!' Tagodd a chwerthin eto.

'Pam lai?' holodd hi.

'Allwch chi jyst ddim,' meddai Efan gan siglo'i ben eto. Roedd hon yn sbarcen a hanner.

Chwarddodd Gwen wedyn, cyn ailafael yn ei phaned.

'Ro'dd y crachach i gyd mas neithiwr,' meddai'n dawel. 'Ro'dd Gwilym Pugh mas gyda'i feistres . . .'

'O'dd e?' holodd Efan, yn methu credu. 'Ond shwt mae e'n gallu mynd mas â hi mor gyhoeddus?'

'Weeel,' meddai Gwen yn ddi-ffws, 'mae'r wraig 'nôl yn Aberystwyth. Mae'r bobl hyn yn meddwl nad yw cyfrinache Caerdydd yn cyrraedd 'nôl i'r Canolbarth. Ro'dd yr actor 'na mas 'fyd, Aled Giles,' meddai wedyn.

'A chwpwl o'r actorion sy yn Llunden, a dweud y gwir. Gydag aelode'r band 'na, chi'n gwbod . . . o, beth yw'r enw od 'na sy da nhw, nawr?'

'Mobile Drone,' meddai Efan.

'Ie, 'na chi, nhw o'dd mas. A phawb ar ryw ddrygs, os y'ch chi'n gofyn i fi,' meddai Gwen.

'Chi'n siŵr?' holodd Efan, a diddordeb mawr ganddo mewn clywed pob gair.

'Ddim yn Le Gallois,' meddai Gwen, 'ond yn y Tryc Bar.'

'Aethoch chi i'r Tryc Bar, do fe?' Ceisiodd beidio â dangos ei syndod bod criw o bensiynwyr wedi mentro i'r bar mwyaf cŵl ym Mhontcanna.

'Do, aethon ni am, wel, am gwpwl o *gin and tonics*. Wrth y bar oedden ni,' eglurodd, 'ond gadwes i lyged ar y criw 'na. Bydden i'n synnu dim o glywed eu bod nhw ar *cocaine* a dweud y gwir. Diflannu i'r toiledau pob *whip stitch*, a phan o'n nhw'n dod at y bar, o'n nhw rhy . . . yn rhy agos atoch chi, chi'n gwbod?'

'So chi'n trial dweud bod un o Mobile Drone wedi trio fflyrto 'da chi, y'ch chi? Wy'n nabod ambell un. O'dd Rich a Phil yn yr ysgol 'da fi.'

'A wy'n nabod 'u mame nhw, i chi ga'l deall. Ma mam Phil Knight yn dod i'r capel . . .'

Gorffennodd Efan ei goffi, cyn sylwi ar haen dywyll o waddol a eisteddai'n styfnig yng ngwaelod y cwpan. 'Beth nath e, 'te? Siarad 'da chi?'

'Ro'dd e fel bachgen bach eto, yn dal yn fy llaw i. Yn dweud 'i fod e'n cofio darllen adnode o 'mlan i yn y sedd fawr. Ro'dd e'n *embarrassing* a gweud y gwir . . . ond mae'r Tryc Bar yn le da. Dylech chi a Ceri fynd 'na . . .'

'Crid yw hi, Crid wy'n 'i galw hi.'

'Wy'n flin, wrth gwrs, ie, meddwl am beth o'dd yn fyr am Ceridwen o'n i.'

'Dylen, dylen i fynd â hi 'na,' meddai Efan yn feddylgar. 'Mae angen i fi fynd â hi i rywle, gneud pethe'n fwy *exciting*.'

Cafwyd saib am eiliad cyn i Gwen holi, 'mae pethe bach yn fflat, odyn nhw?'

'Ydyn,' meddai Efan, heb feddwl ddwywaith am gyfaddef, 'mae'n feddwl i'n crwydro, wy ddim yn gallu egluro cweit . . .'

'Odych chi 'di bod yn anffyddlon iddi?' holodd hi, â thinc o siom yn ei llais.

'Dim o gwbl,' meddai Efan, cyn cywiro'i hun, 'ond wy'n credu mod i'n *meddwl* yn anffyddlon – chi'n deall be sy 'da fi?'

'Yn rhy dda,' meddai Gwen, cyn casglu'r llestri'n ofalus a'u gosod nhw yn y sinc. ''Nes i *texto* Rhian Dafis yn fy meddwdod neithiwr hefyd.'

'Rhian Dafis? *Texto?*'

'Ie, ei mam hi sy'n rhedeg y siop lyfrau newydd yn y Rhath, Cloriau Cŵl. Mae'r enw braidd yn ddiddychymyg, on'd yw e? Ond o leia' mae e'n rhywle arall i brynu llyfre Cymrag. Ma' canol y dre'n ofnadw.'

'Chi'n *texto*, ydych chi? O'n i ddim yn gwybod eich bod chi'n texto,' meddai Efan gyda syndod yn ei lais.

'Ydw, newydd ddechre. Bydd rhaid i fi ddechre hala ambell un atoch chi. Wy'n iwsles, cofiwch, yn methu ffeindio'r botwm i neud bwlch, a lot o bethe felly . . .' Oedodd hi a sylwi ar ymateb cegrwth Efan. 'Mae pobl hŷn yn *texto*, chi'n gwbod.'

'Wy'n gwbod hynny. Jyst gwbod bo' Dad ddim yn gneud, 'na i gyd. Ac, wel, mae fe lot yn ifancach na chi.'

'A Mam? Ydy hi'n *texto*?'

Touchy subject, meddyliodd Efan. Doedd neb yn cael siarad amdani hi. 'Sai'n siŵr rili.'

Doedd Mam ddim ar y sîn, dim ers iddi fynd a'u gadael. Duw a ŵyr a oedd hi'n tecstio ai peidio.

Ymddiheurodd Gwen â'i llygaid cyn gostwng ei phen. Roedd Efan yn dal i eistedd wrth y bwrdd brecwast pan drodd Gwen y radio ymlaen. Daeth synau Radio Cymru ar y Sul i foddi'r tawelwch annifyr.

'Mae angen bwydo'r cŵn, a wy'n ofni falle bydda i'n sâl os wela i fwyd ci. Fydde ots 'da chi . . ?'

'Wrth gwrs. *Dim probs*.' Cododd Efan, er bod yn gas ganddo'r syniad o orfod pwyso i lawr a thendio ar y ffycars.

Aeth at y sinc lle gorweddai'r bag Tesco. Agorodd y tun gan dynnu'r fodrwy arian a diosg y bag. Wrth roi'r stwff yn eu bowlen ar y llawr wrth ymyl y sinc, dechreuodd chwibanu'n dawel. Ac yn sydyn, daeth y tri Pekingese i'r golwg, pob un yn siglo'i gwt, ac yn ei ddilyn fel tri pons mewn clwb hoyw.

'Iawn 'te, Laydeez,' meddai Efan yn dawel gan wthio'r fowlen i ddynodi ei bod yn llawn bwyd.

'Ow, ych,' meddai Gwen, 'os nad oes ots 'da chi, wy am fynd i'r stafell fyw. Mae'r arogl yn troi arna i.'

Gwyliodd Efan tra oedd Gwen yn ymlwybro'n araf i'r lolfa. Wrth iddi fynd, ac wrth iddo eistedd yn ei gwrcwd gyda'r cŵn yn ei amgylchynu, sylweddolodd pa mor fodern oedd yr hen ddynes oedd yn ymlwybro o'r golwg. Nid ei bod hi'n edrych yn wahanol i unrhyw hen ddynes arall mewn gwirionedd, ond roedd ei meddwl hi'n fodern.

'Chishe mwy o fwyd, y'ch chi, *bitches*,' meddai Efan mewn llais Americanaidd fel petai e mewn ffilm. Gwagiodd weddill y bwyd i'w bowlen, gyda chymorth llwy.

'Dyna ti, Gwenhwyfar, cer amdani. *Eat like there's no tomorrow.*' Aeth ati i fwyta'n awchus a dechreuodd Arianwen lowcio hefyd, ond doedd dim diddordeb gan Meredydd. Trodd ei drwyn ar y bwyd. *Fuck you then*, meddyliodd Efan cyn troi ei ben tuag at gyfeiriad y lolfa.

Gwaeddodd Efan o'r gegin. 'Ym, dyw Mered ddim yn ryw *keen* ar y bwyd am ryw reswm.'

'O?' holodd hi. 'Oes moron yn y *mix*?'

'Moron?' gwaeddodd Efan gan edrych ar y ci. Syllodd Mered arno'n hy.

'Ie, moron, mae 'da fe *intolerance* i foron.'

'*Intolerance* i foron?' Roedd ei lais wrth holi yn lled boléit, chwilfrydig, er ei fod e'n tynnu wyneb fel '*what the fuck?!*' yn y gegin.

'Ie,' eglurodd Gwen yn gryg, 'dyw Mered ddim yn hoffi moron a dyw moron ddim yn hoffi Mered.'

For fuck's sakes, meddyliodd Efan. Am hen fenyw *with it* ro'dd hon yn *weirdo* lle roedd ei chŵn yn y cwestiwn. 'O'r gore,' gwaeddodd. Edrychodd ar gefn y tun bwyd. Oedd, roedd moron yn rhan o'r *mess* brown.

Edrychodd Efan ar Mered. '*As far as I'm concerned*, gei di starfo 'te – y ffycin ffyspot,' ac aeth yn ei ôl i'r lolfa at Gwen. Doedd e ddim yn gallu credu ei fod e newydd gael sgwrs gyda Pekingese. Ac eto, doedd e ddim yn gallu credu bod unrhyw gi yn cael caniatâd i droi'i drwyn ar fwyd deche a oedd, wedi meddwl, wedi llyncu ei bumpunt olaf o newid mân.

'Peidiwch â phoeni am Mered. Mae e wedi bod yn *anorexic ac* yn *bulimic* dros y blynyddoedd,' meddai Gwen wrth godi. Roedd dwster melyn yn ei llaw. Doedd hi'n amlwg ddim yn diodde gormod o ben mawr os oedd hi ar fin dechrau glanhau.

'Bydd raid i fi fynd nawr, wy'n sori. Wy wedi addo i . . . wy 'di addo.'

'*Suit yourself,*' meddai hi'n chwareus gan ddechrau glanhau, ac anwybyddu Efan.

Doedd hi ddim i'w weld yn becso dim a oedd e'n aros neu beidio, ond gwyddai Efan ei bod hi'n *gutted* ei fod e'n mynd mewn gwirionedd.

'Ok, wel, bydd raid i ni gael cinio ryw dro eto,' meddai Efan gan geisio gwneud yn iawn am y ffaith nad oedd e'n gallu aros nawr.

'Wrth gwrs!' meddai Gwen gan wenu a chodi un o'r cwpanau clai Celtaidd oedd ar y ddreser i ddwstio oddi tano, 'ond ddim heddiw.'

Gwenodd Efan gan deimlo'n ddieithr iawn yn y tŷ yn sydyn iawn. Wedi'r cyfan, tiwniwr piano oedd e ac eto roedd e'n sefyll yn yr ystafell hon heb fwriad o gyffwrdd ag unrhyw biano. Oedd pethau wedi mynd allan o reolaeth? Roedd e'n parhau i wenu, er bod chwys yn socian ei grys am ryw reswm. Ar hyd ei gefn, o dan ei geseiliau. Roedd e'n casáu ei gwrthod hi. A dweud y gwir, byddai'n joio aros yn hirach, ond roedd rhywbeth yn dweud wrtho am beidio.

'O, Efan! Cyn i fi anghofio. Y papur? Lwyddoch chi i ga'l y papur?'

'Naddo, sori, doedd dim ar ôl.' Teimlai Efan ei fod e wedi'i siomi hi eto.

'Sdim ots,' meddai Gwen, 'o, ac Efan, diolch i chi am ddod â'r bwyd ci.'

Syllodd heb wenu arno am eiliad, cyn i'w gwên gynnes hi ledu ar draws ei hwyneb, gan greu siapiau a llinellau ar y croen ar ochr ei llygaid. Gwenodd yntau a symudodd y ddau at y drws ffrynt. Gwnaeth Efan ymdrech ymwybodol i gerdded yn arafach, oherwydd bod Gwen yn stryffaglu. Agorodd Efan y drws, ac aros yno gan syllu'n ôl ar ei ffrind.

'Diolch am y brecwast, 'nes i rili joio,' meddai.

'Croeso,' meddai Gwen gan wenu'n annwyl, 'finne 'fyd. Roedd hi'n braf iawn cael rhoi'r byd yn ei le.'

'Gadewch i mi wbod os yw Trefor yn gofyn chi mas am ddêt,' meddai Efan yn goeglyd.

'O na,' meddai Gwen yn ddi-hid, 'sdim gyts 'da'r boi. Trio 'nal i pan wy 'di cal diferyn bach o win, dyna'i ffordd e.'

'A dim gormod o ddwsto,' meddai Efan, gan deimlo fel doctor yn siarad gyda'i glaf.

'O, chi'r rhai ifenc yn gneud i fi chwerthin. Yn enwedig y bechgyn. Shwt y'ch chi'n meddwl bydd y lle 'ma'n cadw'n lân heb bo fi'n 'i lanhau e, gwedwch?'

'Sbôs,' meddai Efan gan godi'i ysgwyddau, a gwenu. Dyna ddangos pwy oedd yn mynd i'r afael â hyn yn ôl yn Grangetown. 'Ok, well i fi fynd 'te.'

Roedd Efan wedi troi ar ei sawdl, ac ar fin cau'r drws, pan ychwanegodd Gwen, 'Arhoswch eiliad,' gan ddiflannu y tu ôl i'r drws ffrynt. Daeth yn ôl gyda rhywbeth yn ei llaw. 'Hoffen i chi ga'l hwn,' meddai'n dawel.

'Beth yw e?' holodd Efan; roedd ei llaw hi'n ddwrn uwchben ei gledr agored e.

Ac yna, dyma hi'n gollwng allwedd i grud ei gledr.

'Ar gyfer y drws ffrynt. Dwi am i chi 'i gael e, er mwyn i chi allu agor y drws ar eich pen eich hunan.'

Syllodd Efan arni, heb ddeall yn iawn beth oedd arwyddocâd hyn.

'Ok,' meddai gan roi'r allwedd yn ddiogel ym mhoced ei drowsus, 'os y'ch chi'n siŵr.'

Ac i ffwrdd â fe . . .

Dringodd i'r car a gyrru o'r Rhath. Aeth ar hyd City Road, ei hoff le yn yr holl fyd.

Wrth gwrs, roedd City Road yn wahanol iawn ar ddydd Sul. Yn yr wythnos roedd llond y lle o ddiwylliannau'n cyd-fodoli. Arogl bwydydd a smog traffig. Siopau rhad, afiach drws nesaf i gaffis Cymraeg dosbarth canol. Stiwdants Cymraeg yn byw drws nesaf i deulu o Fwslemiaid. Hwrli-bwrli hir, lliwiau, synau a thraffig. Doedd dim byd gwell. Blerwch bywyd ar un stryd. A'r blerwch yn brydferthwch. Oren wedi cwympo o fag ysgol ac wedi'i wasgu ar hyd y lôn. Hen boster gwyrdd llachar Plaid Cymru yn dal mewn ffenest tŷ gwag. Cwpan bolisteirin a fu'n llawn *mocha* yn gorwedd yn wag ar y stryd, gan rolio'n ôl ac ymlaen ar hyd y palmant. Wyddai Efan ddim pam, ond fan hyn oedd y lle. Heol y Plwca oedd enw City Road yn wreiddiol, ac roedd e'n hoffi'r syniad o'i galw'n Heol y Plwca pan, neu os, y byddai'n cael plant. Ond doedd dim angen meddwl am hynny heddiw. Heddiw roedd y lle'n llawn sbwriel a sgerbydau nos Sadwrn Caerdydd ar y pop. Ffwc o le afiach oedd Heol y Plwca heddiw, ac roedd Efan yn caru pob munud o fod yno.

Erbyn cyrraedd pen pella City Road roedd e bron iawn wedi anghofio ei fod wedi bod yn nhŷ Gwen y bore hwnnw. Wrth yrru, roedd e'n ymwybodol iawn bod nifer fawr o bobl yn dal yn eu gwlâu drwy'r ddinas, a nifer ohonyn nhw wedi mwynhau ambell beint yn ormod neithiwr. Bastards diog, meddyliodd. Roedd e'n un ohonyn nhw fel arfer, ond bore 'ma, o fod wedi codi'n gynt, roedd y syniad o fod yn y gwely nawr yn wastraff amser. Yn wastraff bywyd. Wrth iddo droi o Heol y Plwca, sylwodd ar ferch fach a'i nain yn cerdded i mewn i Spar. Roedd yr un fach yn llusgo bag olwynion ei nain ar hyd y stryd, a'r darlun mor ddiniwed a braf. Canodd ei ffôn yn ei boced gan geryddu'r blew ar ei goesau. Ffyc, meddyliodd, dwi'n dreifio.

Serch y pwyntiau y gallai eu cael ar ei drwydded yrru, gwthiodd ei law dde i'w boced a gafael yn y llyw â'i law chwith. Atebodd. *Fuck it*, falle mai rhywun yn cynnig gwaith oedd yno.

'Helô . . . ie? . . . iawn. Arhoswch eiliad, gadewch i fi dynnu mewn.' Ceisiodd Efan arafu'r car, a pharcio y tu ôl i gar piws. 'Dyna ni. Dim problem . . . sori am hynna . . . ie, ie, ym na, wrth gwrs . . . dydd Mawrth. Dydd Mawrth yn iawn . . . dim probs . . . a phryd gafodd e 'i diwnio ddweth . . .? Mhm . . . Iawn . . . Faint o'r gloch? . . . Ym . . . Dau? . . . O'r gore . . . iawn, iawn . . . ocê, hanner awr wedi dau? . . . Do . . . wedi bod o'r blaen . . . do . . . 'na chi, ie . . . o, iawn, wy'n gweld . . . iawn 'te . . . o'r gore . . . ha ha! Ie! . . . diolch i chi . . . ie, na, mae'n neis clywed hynny, o diolch . . . mhm, ie, o cofiwch fi ati . . . o'n i 'na dydd Gwener dwetha a dweud y gwir . . . ie, hwyl 'te, hwyl . . . diolch . . . ie . . . dau o'r gloch, iawn, dim problem, hwyl nawr.'

Bingo! Gwaith yn wir. Wel, wel, wel, meddyliodd Efan. Rhyfedd fel mae pobl yn dod i dy fywyd di ar ôl siarad amdanyn nhw. Gwraig Gerwyn Teifi oedd ar y ffôn. Gŵr busnes mwyaf llwyddiannus y cyfryngau Cymraeg oedd Gerwyn. A byddai Efan Harry yn cael y pleser o gyfarfod eu glanhawraig nhw eto'n fuan.

*   *   *

Gyrrodd Crid â'i chorff wedi'i sodro'n siâp rhyfedd yn sedd y gyrrwr. Syllodd drwy'r ffenest ar Bort Talbot. Sgitiai glaw mân dros y car. Yna, dechreuodd gwympo'n drymach a llifodd dagrau'r glaw i lawr dros y ffenestri nes gorfodi Crid i droi'r chwifwyr ymlaen. Roedd cryno-ddisg Gwen Stefani ymlaen yn y car ganddi – rhyw alaw ysgafn fyddai'n dwyn y cof i rywle melys, rhywle nad oedd yn ddwys. Roedd Crid yn dueddol o ymateb yn wael i gerddoriaeth felancolig. Gallai hwnnw droi ei hemosiynau hi gan wneud iddi deimlo'n isel, dim ond oherwydd alaw leddf y gân. Pan oedd hi yn ei harddegau, perffeithiodd y ddawn hon gan orwedd am oriau ar ei bol ar y gwely: gwrando ar ganeuon, crio, sgwennu enwau'r bechgyn roedd hi'n eu ffansïo yn ei dyddiadur, gwrthod mynd lawr llawr i gael swper. Yr un hen bethau nodweddiadol.

Gwthiodd Crid yr holl atgofion hynny i gefn ei meddwl ac ystyried geiriau'r gân ar y CD:

> 'If I could escape and re-create a place that's my own world, and I could be your favourite girl forever, perfectly together, now tell me boy, now wouldn't that be sweet . . ?'

71

Dianc, ife? Rhyfedd fel roedd pawb wastad eisiau dianc oddi wrth rywbeth neu'i gilydd.

Ar ei shifft ddiwethaf, roedd rhyw ddynes wedi dod i gadw cwmni i'w merch oedd ar fin cael babi. Teulu oedd wedi symud o Fryste i Gaerdydd yn ddiweddar oedden nhw. Wedi i'r babi gael ei eni, cododd y fam-gu ei phen a dweud, '*We're looking to move.*' O? Roedd Crid wedi edrych arni a'i llygaid yn fawr. Nid bod ots ganddi, ond roedd yn rhaid *edrych* fel bod ots gen ti. '*Yes, we're thinking of moving to Wales.*' O? Roedd Crid wedi edrych eto, '*Don't you live here now?*' '*Well, we live in Cardiff, yes,*' oedd ateb y fam-gu newydd, '*I mean move to Wales – somewhere in the west.*' Doedd Crid ddim yn gallu credu bod pobl yn meddwl am Gymru fel hyn, mor rhanedig. Bod Caerdydd yn ddinesig ac felly nad Cymru oedd y fan honno. Cymru oedd y llefydd gwledig lle roedd pawb yn mynd i'r un dafarn ar nos Wener ac yn bwyta cawl cennin. Roedd pethau fel hyn yn ei chynddeiriogi hi. '*To be frank,*' dwedodd y fam-gu, '*we feel that Cardiff is quite a lonely place. You tend to get lost here.*'

'*Lost?*' holodd Crid. Doedd hi ddim yn cytuno â'r farn hon chwaith. Roedd Cymry Cymraeg yn euog o ddweud hyn hefyd. Mai lle i fod yn unig ynddo oedd dinas, lle i fynd ar goll ynddo, lle i golli dy hunaniaeth. Doeddet ti byth yn unig yng Nghaerdydd, oni bai dy fod ti *am* fod felly. Lle cymdeithasol ydy dinas. *It's what you make of it,* meddyliodd wedyn. Roedd hi'n casáu pan oedd ymadroddion Saesneg yn cropian i'r meddwl, a'r rheiny'n ffitio fel maneg. Oedd hyn yn arwydd o'r ffaith ei bod hi'n meddwl yn Saesneg, felly? Doedd hi ddim yn siŵr.

Dinas yn lle unig – chwarddodd iddi hi'i hun. Dwi

wedi cael fy magu yn Sgiwen ac yn Llangennech ac yn byw yng Nghaerdydd nawr. A dwi'n Gymraes fel unrhyw blydi Cymro neu Gymraes arall. Doedd Crid ddim yn berson gwleidyddol, o bell ffordd. Roedd gwleidyddiaeth bleidiol yn ei gwneud hi'n sâl. Blydi Nashis, blydi Llafur, blydi Toris. Dyna oedd ei barn hi. Ac eto, roedd ganddi farn gref am nifer o bethau. Doedd hi ddim yn pleidleisio ym mhob etholiad, 'mond y rhai pwysig. Mae pob *un* yn bwysig, gallai glywed Janet, gwraig Cynyr, yn ei ddweud. Ond byddai hi'n dweud hynny; roedd ei theulu yn 'i chanol hi gyda'r Blaid, ac roedd hi'n ffrindiau gydag amryw o'r bobl bwysig 'fyd.

Gyrrodd i gyfeiriad Pontardawe a'i dwylo'n dynn am y llyw. Ysai am gael gweld Eiry, Elen ac Elis. Roedd hi'n hoff o'i jôc ei hun ei bod hi'n gadael Pontardawe yn '*high on eees*'. Teulu oedd yn ei gwneud hi'n hapus. Cynyr, hyd yn oed, er iddo droi'n annioddefol yn ei arddegau. Yn gwrthod bwyta cig i ddechrau, yna'n datgan ei fod am briodi Alisha lawr yr hewl. Ac wedyn yn gwrthod gweithio a chymryd *anti-depressants* nes ei fod yn bump ar hugain. A nawr? Wedi lando ar ei draed, yn gweithio i'r DVLA ar gyrion Abertawe. Janet, ei wraig, oedd ei achubiaeth. Nage, nid Duw oedd yr achubiaeth wedi'r cyfan, fel y byddai ei dad wedi hoffi clywed. Neu, efallai mai Duw ar ffurf Janet oedd wedi dod i'w achub. Dyna fyddai Dad wedi'i ddweud, hyd yn oed yn ei ddyddiau olaf yn Nhreforys. Pregethwr oedd Dad tan y diwedd.

Wrth i Crid feddwl am y weinidogaeth, daeth pang o euogrwydd drosti. Teimlai'n frwnt am ei bod hi wedi chwarae gyda'i hunan eto yn y gwely ben bore. Yng Nghymru, doedd y ddau beth ddim yn mynd gyda'i gilydd rywffordd. Dy fod ti'n mwynhau pleserau rhywiol (yn enwedig ar dy ben dy hun) *ac* yn mynd i'r capel. Doedd hi ddim am atgoffa ei hun, ond fe brofodd hi sefyllfa ryfedd ben bore. Deffro am ddeg a dim smic o sŵn yn unman. Dim byd ar wahân i gloch un o eglwysi Grangetown yn canu. Sul y Pasg – ond doedd dim bwriad ganddi fynd i'r capel.

Roedd clustog Efan wedi chwyddo i'w lawn faint. Mae'n rhaid ei fod wedi mynd i dendio ar y Gwen Bowen 'na. God, meddyliodd Crid. *Pathetic*. Yna, llanwyd hi ag ysfa i bleseru, ysfa i fwynhau ei chorff ei hun. Doedd neb o'i ffrindiau hi'n cyfaddef eu bod nhw'n gwneud y fath beth. A rhywffordd, ar y Sul, roedd y syniad hyd yn oed yn waeth. Ond, serch ei holl bryderon, dyna wnaeth hi. Wedi'r cyfan, doedd hi ddim wedi cael boddhad neithiwr, gydag Efan yn dioddef o *hangover*. Yn dyner, chwaraeodd Crid gyda phen y cluniau. Tynnodd ei bysedd yn esmwyth dros ei gwefusau nes ei bod hi wedi ymlacio. Chwarae gyda'r *clitoris* wedyn, gafael yn ei chluniau a gwthio'i bysedd i mẁn i'w chorff. Chwarae gyda'i *chlitoris* eto, a phopeth yn mynd yn fwy gwlyb yn sydyn iawn. Ar ôl rhai munudau'n unig o wneud hyn, llanwyd hi â theimladau braf. Daeth y pinacl ymhen dim, a hithau wedi troi i bwyso ar 'i bol ar y gwely. Gwingodd ac ymlacio.

Wrth iddi orwedd yno, doedd dim i'w wneud ond wynebu'r euogrwydd arferol . . . dydd Sul . . . hithau'n Gymraes, yn ferch i weinidog . . . ond roedd mwy na hynny hefyd. Oedd hi'n iawn i feddwl mai wyneb Ed oedd wedi ymddangos yn ei phen wrth iddi ddod? Beth yn y byd mawr oedd hynny'n ei feddwl? Afiach. Sic. Ych, meddyliodd. Doedd Crid ddim yn ffansïo Ed.

Roedd e'n hoyw, a doedd dim diddordeb ganddi ynddo o gwbl. Dim yn y ffordd yna, beth bynnag. Ac eto, roedd ei meddwl hi wedi taflu ei lun o'r isymwybod wrth iddi deimlo gwefr rywiol. Teimlai'n hollol ffycd-yp nawr. Doedd hi ddim yn ei ffansïo fe, doedd hi ddim. Doedd dim iws i'w hisymwybod hi awgrymu'r fath beth. Ond roedd 'na neges yno'n rhywle. Estynnodd am dishiw oedd yn aros yn bwrpasol o dan y gobennydd, yna cododd a mynd yn syth i'r gawod. Roedd angen golchi ei beiau i gyd cyn iddi deithio i Abertawe.

Wrth droi trwyn y car i fyny am y cwm, ffrwynodd y meddyliau a oedd yn dal i wneud iddi wrido, a'u gwthio'n bendant o'r neilltu. Roedd cartref Cynyr a Janet ar y gorwel, a châi gyfle i yfed mygaid enfawr o goffi cyn hir. Coffi du, wedi i'r teulu bach ddod yn ôl o'r capel. Oedd, roedd Cynyr, Janet a'r 'three eees' bellach yn mynd i'r capel hefyd. *How things had changed* . . .

*   *   *

'*Gay club?*' Edrychodd Cynyr arni dros y bwrdd. Bwrdd pren solet fel un tŷ ffarm oedd e.

'Ie.' Llowciodd Crid weddill ei choffi llugoer. Doedd dim ots ganddi yfed coffi llugoer, cyhyd â'i fod yn felys.

Daliodd Janet yn dynn yn Eiry gan wthio llewys ei chardigan borffor i fyny'i breichiau.

'Eiry, paid . . . sa i'n gweld problem, o'n i'n mynd gyda Sara withe, i'r lle yn Abertwe.'

Edrychodd Cynyr yn gyhuddgar ar ei wraig. 'O't ti nawr?' Chwarddodd y tri.

'Na, wel, *change* ontefe, 'na beth yw'r syniad. Gweld *how the other half lives*.'

Rowliodd Cynyr ei lygaid nes i'r gwyn ddod i'r golwg. 'A shwt mae Efan?'

'Iawn, ody, joio tiwno.'

'Fi'n siŵr,' meddai Cynyr, 'sdim rhaid iddo fe ddiodde plant yn sgradan rhagor.'

Edrychodd Crid ar y llawr. 'Ie, ti'n iawn, ac mae e'n gneud be mae e'n hapus yn neud.'

Torrodd Janet ar draws y ddau wrth iddi wthio Eiry tuag at Elen, oedd yn chwarae trenau ar y llawr.

'Hen dir, bois; *been there, done that*. Ni'n gwbod ei fod e'n hapus, ti'n gwbod 'ny Cynyr. *It's been years* nawr, *get over it*.'

Gwenodd Crid. 'Mae e wedi stico at hyn. Mae e'n joio'r job.'

''Na fe,' meddai Cynyr wrth chwarae â'i fysedd ar hyd darn o bren tywyll ar y ford, 'dim ond gofyn o'n i, gneud yn siŵr bod digon o waith 'da fe.'

'Elen, gad i Eiry ga'l y *Tweeny* nawr.'

Syllodd Elen yn ôl yn ddieflig ar ei mam. Roedd yr olwg gyfystyr â dweud 'Cer i grafu, Mam'. A dwyflwydd oed oedd hi.

'Elen,' meddai Janet yn araf ac yn fygythiol.

Tynnodd Janet gardigan o rywle. Cardigan binc, hen ffasiwn. Craffodd Crid arni. Ei chardigan hi oedd honna, siawns.

'Nage cardigan o'dd 'da fi pan o'n i'n fach yw honna?'

Gwenodd Janet, 'Ie cofia, nath dy fam rhoi peil o bethe i ni, blynydde nôl nawr. Dillad lyfli 'fyd. Elen blodyn, dere 'ma i wishgo cardi.'

Gwenodd Crid hefyd. Digon teg. Doedd dim plant ganddi hi, eto. Ond neidiodd Cynyr i'r adwy yn ddiangen.

'Am y tro, Crid, ontefe. Nes bo' ti'n . . .'

'Ie, ie,' meddai Crid. Roedd hyn yn mynd ar ei nerfau hi. Doedd dim angen iddo fod wedi dweud gair. Blydi brodyr.

Cododd oddi wrth y bwrdd a phwyso i lawr at y plant. Roedd Elis wedi mynnu cael Weetabix a llaeth ar ôl dod yn ôl o'r cwrdd. Er, doedd e ddim wedi bwyta rhyw lawer ohono, chwaith. Eisteddai'r gymysgedd brown golau ar y bwrdd pren. Tynnodd Crid flaen ei bawd dros y croen rhwng gwefus Elis a'i drwyn. Roedd mwstásh o Weetabix gwlyb yn sychu'n gyflym.

'A wel, beth 'yn ni'n neud lawr fan hyn, 'te?'

'Fi'n bildo,' meddai Elis, yn dair blwydd a hanner o hyder.

'Ad-ei-ladu,' meddai Janet o'i sedd. Gwenodd Crid arni.

'O, waw,' meddai Crid, 'gaf i helpu?'

Siglodd Elis ei ben, ei brosiect ef oedd hwn. Chwarddodd Crid. 'Eitha reit 'fyd.'

'Elis! Gad i Anti Crid helpu . . .' dwrdiodd Janet yn ysgafn. Roedd plant yn gallu codi cywilydd weithiau.

Chwarddodd Cynyr yn uchel. ''Na ti, boi, gwed ti wrthon nhw. Fyddan nhw â'u bysedd ym mhopeth os na ddwedi di'n sdrêt.'

Roedd y ddwy arall, yr efeilliaid, yn ddwyflwydd oed ond yr un mor fywiog. Trodd Crid atyn nhw, ond roedden nhw yn eu byd bach eu hunain.

'W, a cyn i fi anghofio, diolch am yr wyau Pasg!' geiriodd Janet yn dawel. 'Ga'n nhw afel arnyn nhw ar ôl cinio.'

Gwenodd Crid.

'Beth o't ti'n feddwl am ymddiswyddiad Rhys Arnold ddo' te?' holodd Janet.

'Gwynt teg ar 'i ôl e, weda i. Ma' nhw i gyd 'run peth.'

Roedd Rhys Arnold, un o gonglfeini Plaid Cymru, newydd ymddiswyddo fel Aelod Cynulliad. A dwy flynedd ar ôl gydag e yn y swydd. Problem deuluol, yn ôl y sôn, ond roedd Cymru gyfan yn siarad am y peth ar hyn o bryd.

'Ma' nhw'n gweud taw Tori geith y sedd nawr.'

'O,' meddai Crid heb fecso rhyw lawer. Ac eto, er nad oedd hi'n pleidleisio bob tro, byddai'n well ganddi weld plaid o Gymru i mewn na disgynyddion Thatcher. Roedd gan Janet fwy o ddiddordeb yn y busnes gwleidyddiaeth 'ma na'r rhan fwyaf. Bu ei thad hi'n gynghorydd sir i'r Blaid yn Abertawe am flynyddoedd, cyn iddo gael harten a mynd i'w fedd yn drigain oed.

Edrychodd Crid ar Elen ac Eiry eto. 'A pha un ohonoch chi fydd y fenyw gynta i fod yn brif weinidog Cymru, 'de?'

Gwenodd Janet cyn piffian chwerthin am eiliad. 'Sdim ishe gofyn. Hon fan hyn yw'r fadam.' Pwyntiodd Janet at Elen a nodiodd Crid ei phen.

'O'n i'n meddwl bod *hon* yn fadam 'fyd; so ti'n cofio fel oedd hi pan 'nes i warchod yn ddiweddar?'

Piffiodd Janet eto. 'Ai, ti'n iawn, mae'r ddwy yn *potential candidates* weden i!'

Roedd Cynyr yn darllen y *Wales on Sunday* ers ychydig amser. Gwthiodd Elis ei ffordd tuag ato, gan daro yn erbyn y papur a hwnnw'n gwneud sŵn crensian, cyn gofyn, 'Dad, ble ma' gê clyb?'

'Beth?' holodd Cynyr, yn methu credu'i glustiau. Edrychodd ar Crid. Gwenodd hi'n gloff.

'O, sa i'n gwbod, sa i'n gwbod,' meddai Cynyr, gan geisio symud y sgwrs oddi ar y trywydd

'Pam?' holodd Elis, a'i ben ar un ochr.

'Paid ti poeni am 'na nawr,' meddai Crid.

'Pam?' holodd Elis eto.

Torrodd Janet ar ei draws. 'Dere i weld y trên!'

A 'nôl ag e'n fodlon at Tomos a'r Rheolwr Tew.

Edrychodd y tri oedolyn ar ei gilydd. Doedd dim modd gweud dim yn y lle 'ma rhagor, heb fod y poliparot hwn yn ailadrodd y sgwrs. Gwridodd Crid. Efallai nad oedd hi'n *cut out* i fod yn *fodryb* eto hyd yn oed, heb sôn am fod yn fam.

'Sori,' geiriodd heb wneud sŵn, gan edrych ar Janet.

Sgubo'r pwnc i'r neilltu trwy chwifio'i dwylo'n ddiffws, i'r perwyl *Jiw, jiw, paid â phoeni,* wnaeth Janet. Menyw ishel oedd hi, chwarae teg.

'Ta beth – mae gan Janet rwbeth i weud,' meddai Cynyr yn bwysig.

Trodd Janet ati, 'O's, wel, wy'n . . .'

Saib. Dwylo'n cyfeirio at y bol.

'Ti'n dishgwl 'to!' meddai Crid gan godi a'i chofleidio. Arhosodd y ddwy felly am ychydig. 'Wel y blydi hel. Congrats, myn!' meddai wrth dynnu'i breichiau oddi ar Janet a rhoi sws i Cynyr a hwnnw fel petai'n llawn cyffro.

'Diolch ti, *chuffed*. Syrpreis oedd e. Dim mwy wedes i, ond . . .'

Chwarddodd y tri.

Ryw bum munud yn ddiweddarach, roedd Crid yn yr ystafell molchi. Wedi codi o'r tŷ bach, golchodd ei dwylo gyda sebon hyfryd lliw'r olewydd. Aroglodd ei dwylo. Mm, arogl gorjys. Yna, cofiodd taw hi oedd wedi prynu'r sebon hwn i Janet amser Dolig. Roedd hi'n braf gwybod bod ei hanrhegion hi'n cael eu defnyddio.

Edrychodd ar ei hadlewyrchiad yn y drych. Roedd ei gwallt byr yn fflat fel pancosen heddiw. Dylai fod wedi gwisgo mwy o golur. Edrychai'n welw, a'i hwyneb yn deneuach nag arfer. Wrth sefyll yno, meddyliodd am y babi oedd ym mol Janet a theimlo ton o genfigen yn ei bwrw fel slapen galed. Gostyngodd ei phen a dal ei breichiau ar y top marmor; gwasgodd ei llygaid ynghau i rwystro'r dagrau oedd yn cronni. Beth ddiawl oedd yn bod arni? Pam fod hyn mor anodd heddiw? Roedd hi'n gweld degau o fabanod yn cael eu geni bob wythnos. A beth bynnag, roedd hi'n wirioneddol wrth ei bodd dros Janet. A thros Cynyr, wrth reswm. Sychodd ei dagrau'n ofalus gyda blaen ei bysedd, gan obeithio na fyddai neb yn sylwi bod dim byd yn bod arni.

'*Grow up,*' meddyliodd, '*Fucking grow up,*' ac aeth yn ôl at hwrli bwrli'r gegin.

pennod pump

Pan gyrhaeddodd Efan ddrws ffrynt cartref Gerwyn Teifi, cofiodd y teimlad gafodd e pan roedd e yma'r tro diwethaf. I'r pant hwn y rhed y dŵr, ie? Roedd ardal Cyncoed yn braf. Nid nepell o Barc y Rhath. Roedd Efan newydd ddod o dŷ teras yn ardal Pontcanna, tŷ rhyw ferch oedd yn arfer actio ar S4C. Roedd hi wedi bod allan o waith ers degawd erbyn hyn. Degawd gyfan. Roedd Efan yn teimlo'n well ar ôl siarad gyda hi, ddim yn gymaint o *loser*. Lisa oedd ei henw, ac roedd hi wedi penderfynu prynu piano am fod ffrind iddi mewn band o'r enw Esgymuno. Roedd caneuon Esgymuno yn cael eu chwarae ar Radio Cymru bob nos, yn ôl Lisa, ac roedd y band yn llwyddo i wneud wyth mil y flwyddyn o hynny'n unig. Yn ôl Lisa (oedd yn gwybod popeth am y maes hwn) enillodd Gwil Cawdor (*heart-throb* a chanwr) bymtheg mil drwy daliadau MCPS a PRS y llynedd. Oherwydd hyn, roedd Lisa wedi siarad gyda ffrind iddi oedd yn ymchwilio yn y Biiiib ac wedi cael *nod and a wink* bod modd iddi recordio sesiwn Radio'r Hwyr i Radio Cymru. *Foot in the door*, oedd geiriau Lisa.

Gobeithio'n wir y bydd e, meddyliodd Efan, neu bydd hon yn cael ei hesgymuno o'i thŷ ei hun erbyn diwedd y mis am fethu talu'r morgej. Doedd y cyfryngau ddim yn job hawdd i bawb, meddyliodd. Doedd ganddo ddim calon i ddweud wrthi bod y taliadau MCPS a PRS hyn wedi gostwng yn ddramatig yn ddiweddar hefyd. Druan ohoni.

Beth bynnag, roedd e wedi gadael Lisa a'i choffi rhad ers ryw awr. Coffi Lidl; coffi digon neis ond coffi rhad. Gwyddai hyn gyda'r gorau; roedd e'n prynu'r blydi stwff ei hun. Tŷ Gerwyn Teifi oedd dan sylw nawr. A dyma enghraifft i chi o foi oedd *off the scale* o ran gwneud arian yn y cyfryngau. Roedd Efan wedi clywed si bod Gerwyn Teifi'n buddsoddi'i arian mewn cyfrifon banc yn y Swistir ac yn cadw naw menyw ar hyd a lled Cymru. *Nice life*, meddyliodd Efan cyn canu'r gloch, ond sut byddet ti'n llwyddo i berfformio gyda naw menyw? Maureen, y lanhawraig, fyddai'n ateb y drws y bore 'ma. Gwyddai hynny. Roedd y teulu'n llawer rhy brysur. Plant yn yr ysgol, y wraig mewn rhyw bwyllgor. Hi oedd pennaeth adran gysylltiadau cyhoeddus cwmni Sblat-i-Blant. Duw a ŵyr beth oedd ystyr hynny. Agorwyd y drws.

'Shwmai.' *Shit*, nid Maureen oedd yno ond y wraig. Beth oedd ei henw hi? Beth *ffyc* oedd ei henw hi?

'Pnawn da, wedi dod i . . . diwnio'r piano.'

'O ie, diolch, dewch mewn. Efan, ie?'

Roedd hi'n bihafio'n ddigon dymunol, er ei fod e wedi clywed pethau ofnadwy amdani.

'Fydda i ddim yn gallu aros yn y tŷ tra ry'ch chi'n tiwnio, mae arna i ofn. Ond gadewch i mi ddangos y gegin i chi, fel y gallwch chi wneud paned i'ch hunan.'

Beth yw ei henw hi? Beth yw ei ffycin enw hi? 'Diolch Mrs Teifi,' meddai Efan. Roedd e'n casáu pan oedd y rhai posh gartref; roedd yn rhaid gwneud shwt ymdrech. Ac roedd ei ddillad e'n ofnadwy. O *fuck it*, beth yw'r ots?

'Galwch fi'n Meryl, wnewch chi?' Gwenodd.

Hawdd gweld sut roedd Gerwyn wedi hoffi golwg hon. Roedd hi'n brydferth, ond nid mewn ffordd slwtaidd. Mam berffaith, dyna'r olwg oedd arni. Prydferthwch syml fyddai'n sicr yn trosglwyddo i'r epil. Roedd hon yn ddeugain a phump, falle'n hŷn. *Cert*.

'Dwi'n aelod o bwyllgor Gwarchod y Gwyrddni, gyda'ch tad.'

'O reit,' meddai Efan. *Shit*, roedd hon yn gwybod hanes ei deulu, felly. Yn gwybod bod ei fam wedi eu gadael nhw, fe a'i dad. Y peth mwyaf annaturiol allai ddigwydd mewn teulu, fyth. Roedd Dad wedi troi'n ffrîci o gefnogol i'r amgylchedd ers iddi fynd. Ers blynyddoedd nawr, wrth gwrs. Roedd e wedi ymuno â'r 'Green Belt Group', grŵp oedd am bwysleisio pa mor werthfawr oedd ardaloedd gwyrdd Caerdydd. Wrth gwrs, fe grewyd grŵp shitrws (*splinter group* yw'r enw i bobl gall) a sefydlwyd 'Gwarchod y Gwyrddni' gan ryw bregethwr wedi ymddeol o Groes Cwrlwys mewn ymgais i wneud pethau mewn ffordd well, mwy Cymreig. Yr un hen stori, lle bynnag y'ch chi.

Clywodd Efan sŵn y drws ffrynt yn agor. Trodd Meryl i edrych tuag at y drws cyn edrych yn gyflym i fyw llygaid Efan.

'Ym, arhoswch fan hyn, a rhowch y tegell mla'n. Ie? Dwy funud fydda i.'

Gwenodd Efan gan edrych allan ar yr ardd daclus.

Concrit a chornel bychan o wyrddni oedd gydag e yn Warwick Street. Fan hyn, roedd glaswellt yn y golwg ymhob man, gyda rhyw lwyni braf wedi'u plannu ar hyd yr ochrau i gyd. Cododd a throi switsh y tegell ymlaen. Gallai glywed sŵn cwyno wrth y drws. Roedd rhywun wedi cyrraedd yn ôl yn ddiseremoni, yn amlwg. Yna, sŵn gweiddi wrth i draed fartsio'n eliffantaidd i fyny'r grisiau. Trodd ei ben yn reddfol i weld a allai weld unrhyw beth, ond doedd dim i'w weld o'r fan lle safai.

'*I don' care wha' you say*. Sa i'n ffycin mynd 'nôl i'r ysgol!'

'Cadi, plîs, os gwelwch yn dda, ma pobl yn y tŷ.'

Bloeddiodd y llais mewn acen Caerdydd gref, '*I don' give a shi' who's 'ere. I'm no' goin'! No chance. You can' make me. Jus' fuck off!*'

Yna, sŵn drws yn cau'n glep.

Ar ôl rhai eiliadau, daeth Meryl yn ôl i'r gegin a golwg ofnadwy arni.

'O, dwi *yn* sori,' meddai.

Felly dydy pethau ddim yn nefoedd i Gerwyn Teifi hyd yn oed, meddyliodd Efan.

'Sdim angen ymddiheuro, fel 'na mae *kids* ifenc.'

Er, doedd e ddim wedi clywed rhywun yn gweiddi *fuck off* o'r blaen, gan wybod bod rhywun arall yn y tŷ. Crwydrodd Meryl yn simsan at y bwrdd – un drudfawr, yn wydr a chrôm i gyd – ac eistedd. Teimlai Efan ei fod mewn sefyllfa newydd sbon. Roedd Meryl yn edrych dan straen a sylwodd Efan ei bod hi ar fin beichio crio. Roedd ei gwefus isa hi'n crynu. Crinj, meddyliodd Efan. Mae crachach Caerdydd fel arfer yn llwyddo i gadw'r act i fynd nes bydd y Tiwniwr Piano wedi gadael . . .

'Paned?' holodd Efan, gan geisio gwneud ei hun yn ddefnyddiol.

'Ie, plîs. Sori am hyn.'

'Na, mae'n iawn, mae'n naturiol. *Serious*. Fel 'na ma' nhw yr oedran hyn. Wy'n clywed pethe tebyg drw'r amser, ym mhob cartref.'

'Wir?'

Aeth Efan at y tegell oedd wedi berwi ers rhai eiliadau. Gosododd fygiau Portmeirion ar y top marmor du a chwilio am y ffrij. Roedd golwg sâl ar Meryl, ac roedd hi'n denau iawn. Doedd hi ddim yn bwyta digon, roedd hynny'n amlwg. Siŵr o fod yn trio cadw'i ffigyr mewn ymdrech i gadw'i gŵr.

'Draw fanna mae'r ffrij,' pwyntiodd hi cyn cuddio'i phen yn ei dwylo. 'Sori, God, mae hyn yn codi cwilydd arna i. Chi 'di nal fi *off guard*, wy 'di blino'n lân.'

Ceisiodd Efan greu sgwrs naturiol am ychydig. Cododd hithau ei phen a'i wylio'n gwrtais.

'Ydy Gerwyn yn brysur y dyddiau hyn?' holodd Efan. 'Weles i'r rhaglen *Cwcio-Cacen* ddoe, hapno bod mla'n.'

'Ydy, mae e'n gneud yn dda,' meddai Meryl heb ddangos fawr ddim emosiwn ar ei hwyneb. Syllai'n oeraidd ar Efan, fel pe bai ei meddwl hi'n bell. Roedd Efan yn siŵr bod yna ryw goegni'n perthyn i'w hateb hi am waith ei gŵr hefyd.

'Beth mae e'n neud nawr? Pa raglenni mae e'n gweithio arnyn nhw?' Holai Efan hi fel ffan, fel person meidrol oedd yn gwybod dim. Roedd e'n un drwg am holi busnes ei gwsmeriaid. Ond wel, roedd rhaid trio tynnu sylw oddi ar y *spoiled brat* lan lofft, yn doedd?

Ymlaen â hi, gan adael i'r ffeithiau lifo'n dwt oddi ar ei thafod. 'Rhaglen am yr NHS. Y GIG. Dilyn o'r top i'r gwaelod. Mae'r Cynulliad wedi buddsoddi arian yn y rhaglen.'

Doedd dim diddordeb ganddi o gwbl, ond adroddodd y shbîl fel parot. Roedd hi'n amlwg yn clywed y math yma o gwestiynau'n aml. Penderfynodd Efan daclo'r broblem.

'Gwrandwch, wy'n meddwl taw'r unig ffordd i drin y bastards yw ymladd 'nôl. Dangos iddyn nhw pwy yw'r bòs.'

Cododd Meryl ei phen a syllu ar Efan. Pe bai e wedi gallu gwneud, byddai wedi syllu arno'i hun. O ble ffwc ddaeth hynna? Yna, gwenodd yn ansicr. Ond yn lle creu embaras fel y dychmygai y byddai wedi'i wneud, roedd e'n amlwg wedi ysbrydoli Meryl.

'Chi'n blydi iawn.'

'Ydw i?' holodd Efan, gan ymbalfalu am y bagiau te. Cododd ddau a'u rhoi yn y cwpanau. Arllwysodd ddŵr berw ar eu pennau.

Ond cyn i Efan gael cyfle i estyn y te i'w ffrind newydd, roedd hi'n sefyll ar ei thraed.

'Chi'n iawn. *A taste of her own medicine,*' meddai Meryl, gan stompio allan o'r gegin.

O *shit,* meddyliodd Efan. *Shit.* Clywodd sŵn rhywun yn dringo'r grisiau uwch ei ben ac yna daeth storom eiriau i'w glyw eto.

'Gwranda 'ma, gwd gyrl. Wy wedi ca'l e lan i fan hyn! . . . Ffycin siapia hi 'nôl i'r ysgol 'na neu fyddi di ddim yn mynd ar gyfyl Jjs heno . . . Iawn? *Shut the fuck up!*'

Diar annwyl dad, meddyliodd Efan. Gostyngodd ei ben a rhoi ei law dros ei geg wrth glywed y sŵn.

Yn sydyn, a heb ffŷs, daeth sŵn traed dau berson i lawr y grisiau. Caeodd y drws ffrynt yn glep a daeth Meryl yn ôl i'r gegin â gwên ar ei hwyneb.

'Diolch, Efan. Weithiodd hynna.' Eisteddodd y ddau mewn tawelwch gan sipian te am ychydig.

'Bygythiad o beidio ca'l mynd ar y *piss* yn ddigon, oedd?'

'O, oedd,' meddai Meryl gan ailafael yn ei hunan-hyder, 'mae mei ledi'n meddwl nad ydw i'n gwbod ei bod hi'n caru'n dynn â bachgen o ryw fand, ond wy yn gwbod. Wy wedi clywed. Hales i *private detective* ar ei hôl hi.'

'*Private detective?*' holodd Efan, a'i wyneb fel tin gafr.

'Na, na, ei brawd,' meddai Meryl gan chwerthin yn ysgafn. 'Ei brawd â hanner canpunt yn ei boced.'

'O,' meddai Efan gan chwerthin, er nad oedd hynny fawr gwell chwaith, yn ei farn e.

'Ac enw'r band? Pidyn Pwy, *if you please*,' meddai Meryl.

'Ow,' meddai Efan gan esgus nad oedd e wedi clywed am y fath beth erioed. Bron y gallasai fod yn ffrind hoyw i Meryl. Yn ryw fitsh wrth law.

Wrth gwrs, roedd e'n gwybod am Pidyn Pwy. Ac roedd e'n gwybod pwy oedd Cadi hefyd. Yr un Cadi oedd yn ffrind gorau i Megan, y ferch bert. Ac roedden nhw'n mynd allan heno, yn ôl Meryl, i gig arall gyda'r band gwaethaf yn y cyffiniau. Er bod Caerdydd yn lle mawr, roedd e'n uffernol o fach weithiau. Gwichiodd ei ffôn oedd yn gorwedd o'i flaen. *Shit*.

'Peidiwch poeni, atebwch e.'

'O na, *text* sy 'di cyrradd, 'na i gyd, dyw'r ffôn ddim yn canu.' Syllodd Efan ar ei ffôn a dirgrynodd hwnnw am eiliad yn rhagor ar y top marmor du. Gwen oedd yno. Y neges destun gyntaf erioed ganddi.

'Efanneidi-gyfarfod-gyda-fi-heddi-ryw-ben-dere-ir-tŷ.'

Efallai bod hon yn gwybod sut i anfon negeseuon, ond roedd deall y cod yn dipyn o job.

'Cariad?' holodd Meryl.

'Dim cweit,' meddai Efan.

A chyn iddi orffen yfed y baned roedd Meryl ar ei thraed.

'Reit, wel, Efan, diolch i chi am y tips. *Hit them where it hurts,* ontefe. Mae'n rhaid i mi ei throi hi, mae pwyllgor *Sblat-i-Blant* yn cwrdd yn yr Hilton am 3.'

Cododd Efan. 'Wy'n gweld. Ie, oedd, pleser. Diolch am y baned.' Pwyntiodd Efan yn lletchwith at ei gwpan.

'Go iawn nawr,' meddai Meryl a golwg ddiffuant yn ei llygaid hi, 'diolch am yr help.'

'Jiw, na. Unrhyw bryd,' meddai Efan, gan feddwl bob gair. Roedd e wedi cymryd at Meryl. Roedd hi'n jonac, yn hyfryd (er ei fod wedi clywed pethau ofnadwy amdani gan Rhys Llansannan yn Clwb). Efallai bod Gerwyn Teifi yn cael ei adnabod fel ploncer proffesiynol, ond roedd e wedi gwneud penderfyniad doeth wrth ddewis gwraig.

'Iawn 'te, hwyl . . . chi'n gwybod lle mae'r piano?'

Nodiodd Efan. Oedd, diolch. Trodd Meryl i adael, ac yna cofio fod angen iddi ddweud, 'fydd neb 'nôl heno nawr nes yn hwyr. Caewch y drws yn glep ar eich ôl. Ody 'na'n iawn? Mae Gerwyn yn golygu cyfres yn y Bae, Cadi a Beca yn . . . wel, beth bynnag, fydd neb yn ôl.'

'Iawn, dim problem,' meddai Efan.

'Dim ond hap a damwain yw'r ffaith mod i yn y tŷ ar hyn o bryd *actually*. Dwi ar y Bwrdd, chi'n gweld, ac fe ganslon nhw gyfarfod heddiw am fod LSJ yn dost a Bryn newydd ddod yn ôl o Wlad y Basg.'

'Reit,' meddai Efan. Bwrdd yr Iaith Gymraeg oedd hwnna, felly. LSJ oedd Lewis Siriol Jones. Prif

Weithredwr y Bwrdd a thipyn o arwr i Efan. Roedd e'n giamstar ar y piano, ond stori arall oedd honno.

Wedi i Meryl ddiflannu, setlodd Efan wrth y piano a mwynhau cael bwrw ati. Gwyddai y byddai'n rhaid iddo fynd i weld Gwen ar ei ffordd adref, ond doedd hi ddim yn byw yn bell o gwbl. Anfonodd neges destun yn ôl ati.

DIM PROBLEM, HAPUS I YMWELD! HWYL

Doedd e ddim yn meddwl y byddai neges fwy cymhleth yn addas rywsut, a hithau'n anghyfarwydd â'i ffôn. Estynnodd am ei allwedd diwnio ac agor clawr y piano. Roedd e'n un digon neis. Chwaraeodd am ychydig, gan geisio dod i'w adnabod. Roedd yna wich ar un o'r pedalau. Ceisiai Efan ei orau glas i ddod i adnabod personoliaeth offeryn cyn ei chwarae. Roedd yn ddull eithaf tebyg i sibrwd wrth geffyl. Ceisio dod o gyfeiriad gwahanol, yn hytrach na mynnu'ch ffordd gydag anifail gwyllt. Wrth iddo fwytho'r pren a thrin y nodau, dechreuodd edrych ymlaen at y syniad o gael rhannu paned gyda Gwen. Roedd hi'n llwyddo i wneud iddo deimlo'n sbesial rywffordd. Tybed pa newyddion fyddai ganddi heddiw?

Roedd angen gwaith ar y piano, serch safon y sŵn, ac fe fwrodd ati am ryw awr. Chwaraeodd ambell ddarn, bob yn hyn a hyn. Dyna oedd un o *perks* mwyaf y swydd, yn enwedig pan nad oedd neb adref.

Roedd e'n gweithio'n galed, yn chwysu, pan glywodd sŵn y drws yn agor. Rhyfedd, meddyliodd, a Meryl wedi sôn na fyddai neb yn dod yn ôl tra oedd e yma. Cadi oedd yno, yn sicr. Wedi sleifio'n ôl o'r ysgol. Heb *fod* yn yr ysgol hyd yn oed, siŵr o fod. Wedi mynd at ei chariad. Neu wedi dod ag e 'nôl gyda hi. Yr hen slwten fach. Ond na, nid sŵn pobol ifanc oedd i'w glywed, ond sŵn oedolion. Roedd eu pwysau nhw'n wahanol rywffordd. Am ryw reswm, penderfynodd Efan y byddai'n cadw'n berffaith dawel. Roedd e wedi synhwyro na fyddai'n syniad da tynnu sylw ato'i hun. Yna clywodd leisiau. Gerwyn Teifi?

'Dere 'ma, y bitch fach frwnt. Ti 'di bod yn gago amdana i drwy'r bore. Weles i ti'n edrych.'

'Ydw i?' holodd y llais.

'Wyt.'

Teimlodd Efan gyrff yn bwrw yn erbyn wal y tŷ. *Shit*, meddyliodd. Mae e wedi dod ag un o'i fenywod yn ôl. Un o'r naw. Ac mae e'n siarad â hi fel 'tai e mewn rhyw ffilm porn rhad.

'Dere 'ma. Ie . . . Mmm.' Sŵn cusanu, yna rhagor o sŵn cusanu. Yna, tawelwch, cyn sŵn bwrw yn ôl ac ymlaen. Gweiddi ddaeth wedyn. O Dduw mawr, meddyliodd Efan. Doedd e erioed wedi bod y drws nesaf i bâr yn cael affêr o'r blaen. Oedd, roedd e wedi clywed sŵn pobl eraill yn cael rhyw, ond roedd e wedi gallu boddi'r synau hynny gyda gobennydd mewn gwesty. Ond roedd rhain y tu allan i'r drws a doedd yr un gobennydd yn unman. Roedden nhw yn y ffycin lobi. Ceisiodd beidio â gwneud smic o sŵn. Gobeithiai y byddai'r ddau yn gadael ar ôl eu . . . roedd y gweiddi'n uchel erbyn hyn. Bu bron iddo chwerthin. Aros nes bod Pont a Jiv yn cael clywed am hyn! Bydd y ddau ar lawr y Cornwall yn rowlio chwerthin. Yn pisho chwerthin. Yna, digwyddodd rhywbeth anffodus iawn. Gwthiodd un o freichiau'r pâr nwydus ddrws y stydi lle cuddiai Efan a'r piano. Gwichiodd y drws gan agor yn araf. Paid â ffycin agor, meddai Efan yn ei ben. Paid â ffycin . . . rhy hwyr. Cwympodd y pâr ar eu penolau i'r ystafell a charu am ychydig yn rhagor nes i Gerwyn Teifi sylwi'n sydyn bod rhywun wrth y piano.

'Jesus Christ!' meddai Gerwyn, wedi cael braw, 'pwy in *fuck's name* wyt ti?'

Roedd Efan ar fin ymateb pan welodd pwy oedd y ddynes fronnoeth oedd yn cuddio y tu ôl i'r swp o wallt golau. Y Fawd.

'Anwen.'

Y ffycin Fawd!

Edrychodd hi arno gan godi'n drwsgwl a'i bronnau'n mynd i bob man. 'Sciwz mi,' meddai gan ddal ei bronnau yn ei breichiau a mynd allan o'r ystafell.

'Oes rhywun am egluro be ffyc sy'n mynd mla'n?' holodd Gerwyn, gan gau'i falog a botymu'i grys.

'Sori, ie, fi yw'r tiwniwr piano. Ffonodd Meryl fi dros y penwythnos.'

'*Fine*,' meddai Gerwyn. 'Sori, mêt.'

'Dim problem,' meddai Efan gan wenu. Pam nest ti wenu? meddyliodd Efan wrtho'i hunan. Pam ffwc nest ti wenu? Dylet ti fod wedi'i falu fe a dweud wrtho fe'n blwmp ac yn blaen, 'pam ffwc wyt ti'n ffycio misus Pont? Y?' Ond wnaeth e ddim, dim ond dangos ei ddannedd a gwenu. Cachgi. Am gachgi, meddyliodd Efan Harry wrtho'i hun.

Aeth Gerwyn allan o'r ystafell am ychydig. Pan ddaeth yn ei ôl roedd wedi rhoi trefn ar ei wallt, ac wrthi'n clymu'i dei yn dwt am ei wddf.

'Mae hi 'di mynd. Shwt y'ch chi'n nabod 'ych gilydd? Doedd hi ddim yn fodlon dweud,' meddai mewn llais isel, melfedaidd.

'Mae hi'n byw 'da'n ffrind gore i,' oedd ateb llipa Efan gan godi'i ysgwyddau.

Trodd yn ei ôl at y piano a pharhau i diwnio. Chwaraeodd ambell ddarn ac ystyriodd. Meddyliodd. I feddwl, yn ystod yr holl amser o fod yn *control freak*, yn *paranoid* bod Pont yn cysgu 'da phobl eraill – hi oedd yn anffyddlon iddo fe. Teimlai Efan yn ofnadwy. Doedd e ddim yn gallu dygymod â'r ffaith ei fod e'n gwybod rhywbeth mor enfawr am fywyd Pont.

Gwyddai y byddai'n rhaid iddo wneud penderfyniad am hyn. Penderfynu beth fyddai dyfodol ei ffrind gorau. Oedd e'n mynd i rannu'r hyn welodd e? Ynteu ei adael yn ei gawl ei hun? Droeon o'r blaen, roedd e wedi clywed Crid yn dweud ei bod hi'n ypsét am ei bod hi wedi gweld cariad i ffrind yn bod yn anffyddlon yn y dref. Ac yntau wedi taeru y dylai hi ddweud wrth y ffrind hynny. Bod yn onest, gadael iddyn nhw wybod taw cŵn oedd eu cariadon nhw. Ac eto, gan mai Pont oedd dan sylw y tro hwn, roedd pethau'n wahanol. Efallai ei fod e'n gwybod am ei hantics hi? Efallai eu bod nhw'n deall ei gilydd. Efallai na fyddai hi'n gwneud yr un peth eto, ar ôl i Efan ei gweld hi. Efallai mai dyma fyddai'r ffling olaf cyn iddyn nhw setlo. Roedd pen Efan fel chwyrligwgan a theimlai'n sâl.

Ceisiodd oresgyn yr awydd i chwydu. Anadlodd yn ddwfn. Yr hyn oedd yn ei wylltio fwyaf oedd y ffaith nad y bobl sy'n cael affêrs sy'n gorfod delio gyda'r *shit* ond pobl eraill. Y bobl sy'n rhan o'r cylch. Y ffrindiau. Y teulu. Nid y bobl wnaeth y drwg yn y lle cyntaf.

Erbyn hyn, roedd e wedi gorffen ei waith ar y piano, ond doedd e ddim am symud o'r ystafell rhag ofn iddo weld Gerwyn Teifi eto. Chwaraeodd fedli o alawon, ac ambell gân fel 'The Entertainer'. Yna, i orffen ei sesiwn am y dydd a'r haul yn sgleinio drwy'r ffenestr ochr, chwaraeodd ei hoff emyn. Roedd y piano wedi'i diwnio'n berffaith erbyn hyn. Roedd e wedi rhoi sglein ar y nodau, trwy wneud yr wythawd a hanner uchaf ryw fymryn yn siarp. Yna, yn araf, chwaraeodd drefniant ei athrawes ysgol Mrs Omrey o 'Mi glywaf dyner lais'. Ceisiodd beidio â meddwl am arwyddocâd y geiriau, ond wrth iddo chwarae'r rhan oedd yn cyd-fynd â'r geiriau, 'i ddod a golchi 'meiau i gyd yn afon Calfari' doedd dim modd osgoi'r perthnasedd. Fe a phawb arall, meddyliodd.

Pan gododd ar ei draed ar ôl ychydig amser, doedd dim golwg o Gerwyn Teifi yn unman. Roedd y lle'n dal i ddrewi o'i *aftershave*. *Aftershave* drud, secsi. Gan gario'i fag llawn offer, ymlwybrodd Efan am y drws – a sylwi ar amlen oedd ar y *bureau*. Roedd ei enw arni: Y Tiwniwr Piano. Gafaelodd ynddi a rhwygo'r sêl: £200 o dâl. Tipyn yn fwy nag y byddai'n disgwyl ei gael am bnawn arferol o waith! Edrychodd o'i amgylch. Doedd dim golwg o neb yn unlle. Ai tâl cadw'n dawel oedd hwn? Ynteu tâl 'dwi'n flin am y *shit*'? Gafaelodd yn yr arian a'i sodro yn ei boced. Roedd e'n hapus i gadw'r arian beth bynnag, am ei drafferth. Ac eto, roedd e'n sicr o un peth – fyddai'r arian yn mennu dim ar ei benderfyniad p'un ai i ddweud wrth Pont ai peidio.

*   *   *

Ar ei ffordd adre, felly, galwodd gyda Gwen. Roedd e'n gwybod bod Crid yn gweithio shifft nos ac y byddai angen iddo fod yn ôl erbyn pump er mwyn dweud helô a nos da. Ond edrychai ymlaen at gael paned cyflym gyda Gwen. A dweud y gwir, roedd e wrth ei fodd â'r ffaith ei bod hi wedi anfon neges destun o gwbl. Parciodd y car yn y garej ac ymlwybro tuag at y drws ffrynt. Cnociodd ar y drws. Welodd Efan mo Gwen yn dod i ateb y drws, ond dyna wnaeth hi.

'Pam na ddefnyddiwch chi'ch allwedd, Efan?' meddai Gwen a'i llygaid glas yn pefrio wrth ei weld.

'O, reit, ie, sori,' meddai.

'Ond amseru perffaith; 'dwi newydd orffen gwneud bara brith a dwi ishe i chi ddwedud wrtha i os yw e'n flasus. Mae Ffair Basg y Blaid fory, a Duw â'm helpo i os bydd fy nghacs i mewn gwa'th stad na rhai Beti Morgan.'

Gwenodd Efan, gan deimlo poenau'r byd yn codi oddi ar ei ysgwyddau wrth iddo fentro i mewn i'r tŷ. Syllodd i lawr gan chwilio am y cŵn, ond doedd dim sôn amdanyn nhw. Aeth y ddau i'r gegin yn araf a gafaelodd Gwen yn syth yn y bara brith ac estyn cyllell.

'Mae Trefor wedi gofyn i rywun arall fynd 'da fe i ginio'r Côr.'

Anadlodd Efan yn ddwfn; roedd e wedi amau ei bod hi eisiau siarad am rywbeth felly. 'Ond sdim diddordeb 'da chi?' holodd Efan yn dyner.

Rhwygodd Gwen y gyllell drwy'r bara brith, oedd yn arogli'n ffres ac yn flasus.

'Yr un hen stori, ontefe. Mae'n digwydd i ni hen ffôgis hefyd, chi'n gwbod. Unweth dy'n nhw ddim moyn gwbod . . .'

Nodiodd Efan ei ben mewn dealltwriaeth. 'Pwy mae e 'di'i wahodd 'te?' holodd, wrth i Gwen daenu menyn meddal yn hael dros y tafelli.

'Y bali Beti Morgan 'na, ontefe,' meddai hi, cyn tawelu am eiliad. Yna, dyma hi'n ailafael yn ei brawddeg, 'a geith hi'i gadw fe 'fyd.'

'Mae'n rhaid i chi gofio, do'dd dim diddordeb 'da chi pan o'dd e ar eich ôl chi . . .' mentrodd Efan yn betrus.

'Ewn ni tu fas,' meddai Gwen, 'mae'n ddigon braf, on'd yw hi? Ac mae'r cŵn mas 'na'n barod. Rhowch ddŵr berwedig yn y tebot!'

Ufuddhaodd Efan gan estyn am y tebot melyn fel blodyn yr haul a gollwng bagiau te i'w grombil. Llifodd y dŵr i mewn iddo'n fwrlwm peryglus o boeth.

Cyn pen dim, roedd y ddau'n eistedd ar gadeiriau haearn gwyn yn yr ardd. Roedd bwrdd gwyn, metel a cherfiadau blodeuog drosto, yn dal hambwrdd o bethau gwneud te, sawl tafell o fara brith ynghyd â gweddill y dorth.

'Chi *yn* gwbod pwy yw mab Beti Morgan, odych chi?'

'Nac ydw,' meddai Efan rhwng cegaid a hanner o fara brith meddal.

'Pedr.'

'Pedr Morgan?' holodd Efan yn anghrediniol. Roedd Pedr wedi llwyddo go iawn fel actor proffesiynol yn Hollywood. Pan ddeuai yn ei ôl i Gaerdydd, câi Pedr ei drin fel demi-god. Roedd e'n ddeugain oed erbyn hyn (yn cael ei alw'n Peter Morgan yn y sinemâu) ac roedd darn newydd o Barc y Rhath (y darn sy'n annog ffordd gynaladwy o fyw) wedi'i enwi ar ei ôl.

'Wy'n gweud wrthoch chi, pan y'ch chi'n cyrradd 'yn oedran i, nage pwy yw'ch rhieni chi sy'n bwysig, ond pwy yw'ch plant chi.'

Gwenodd Efan am eiliad gan wybod yn iawn bod yna ddarnau mân o gwrens wedi cronni rhwng y gwm a'r dant. Gwyddai y byddai'n siŵr o godi'r ffaith ei fod wedi bod yng nghartref Gerwyn Teifi yn hwyr neu'n hwyrach, a nawr, gan fod yna ryw eiliad o dawelwch wedi dod dros yr ardd . . .

'Geswch ble fues i'n tiwnio pnawn 'ma . . .'

'Sdim syniad 'da fi. Fflat Dafydd Êl?'

'Oes piano 'da fe yn ei fflat e?' holodd Efan, heb aros am ateb. 'Na, yn nhŷ Gerwyn Teifi.'

'Gerwyn Teifi!' meddai Gwen. 'O'n i'n arfer rhannu fflat gyda'i fam e. Torrodd hi 'i chalon ar ôl gweld y math o raglenni ro'dd e'n 'u cynhyrchu.'

Cododd Efan ei wefus isaf dros ei wefus uchaf, mewn dryswch. 'Be sy'n bod ar y pethe mae e'n eu cynhyrchu? Ar wahân i'r ffaith eu bod nhw'n *boring*?'

'Fyddech chi ddim yn cofio,' meddai Gwen, gan gyfeirio llygaid Efan at y bara brith, 'chi'n 'i hoffi fe?'

'Ydw,' meddai Efan, 'mae'n hyfryd. Blas *home made*.'

'Ody'r tŷ'n neis 'te? Betia i 'i fod e. Dyw talu'ch gweithwyr yn wael am ugain mlynedd ddim yn mynd i wneud unrhyw ddifrod i olwg eich lolfa chi.'

'Ai,' meddai Efan, 'ro'dd e'n neis. Gwrddes i â'r wraig i ddechre, ac wedyn a'th pethe *tits-up*.'

Torrodd Gwen ragor o'r bara brith yn gyffrous. Gallai glywed yn llais Efan bod yna stori ar y ffordd. Tra oedd y ddau'n mwynhau eu cacen, eglurodd Efan beth oedd wedi digwydd yn ystod y pnawn. Bwrodd yr haul ar eu cefnau a thaenodd y gwres dros y sgwrs fel mêl. Yna, aeth hi'n rhy gynnes, nes i'r haul fwrw mil o binnau bach dros dalcen Efan.

'O, druan â chi,' meddai Gwen ar ôl clywed pwy oedd y fenyw ifanc. 'Beth dda'th dros 'i phen hi? Hen gi yw e!'

'Dyna o'n i'n 'i feddwl 'fyd!' meddai Efan, yn cynhesu at y profiad o rannu'r holl beth gydag enaid hoff, cytûn. 'Ond sa i'n gwbod beth i neud, bydd raid i fi

weud wrth Pont . . .' Gwyddai y byddai Gwen yn cytuno
â hyn: roedd yn rhaid bod yn onest, yn driw i ffrind.

'Peidiwch chi â mentro gweud dim!' meddai Gwen
yn siarp. Cododd Efan ei law i gysgodi'i lygaid rhag yr
haul, ond roedd y pelydrau'n ddigyfaddawd. Doedd dim
cysgod yn agos. Doedd dim modd dianc.

'Ond o'n i'n meddwl y byddech chi'n . . .' Ceisiodd
Efan fynd yn ei flaen ond hedfanodd y geiriau o geg
Gwen yn un rhes. Ac wrth iddynt hedfan eu ffordd at
glustiau Efan, daliwyd nhw gan yr haul, ac fe'u gwnaed
yn wenfflam.

'Wy wedi gwneud y camgymeriad hwn fy hun,
droeon,' meddai Gwen yn awdurdodol, 'a be ges i am fy
ymdrech?'

Doedd Efan ddim wedi disgwyl clywed ymateb fel
hyn. 'Ond mae ishe bod yn onest. Gweud y gwir wrtho
fe. Er mwyn dyn! Ma' nhw'n byw 'da'i gilydd . . !'

'Lan i chi,' meddai Gwen, 'ond wy'n gwbod o brofiad
nad yw clywed rhywun yn gweud taw sham yw eich
bywyd chi yn beth braf iawn.'

'Wrth gwrs nad yw e'n beth braf, ond o leia ry'ch
chi'n agor eu llyged nhw.' Teimlodd Efan chwys rhyfedd
y gwanwyn yn rhuthro i lawr ei gefn.

'Dyw rhai pobl ddim ishe i chi agor eu llyged nhw,'
meddai Gwen yn galed, cyn codi'i chwpan de a syllu ar
y cynnwys.

'Lle mae'r cŵn?' holodd Efan. 'Ro'n i'n meddwl eu
bod nhw mas yn yr ardd yn chware?' Syllodd o'i
amgylch. Eglurodd Gwen ei bod hi'n siŵr eu bod nhw'n
cuddio yn y cysgod erbyn hyn, ond doedd dim sôn
amdanyn nhw yn unman.

'Wy'n flin mod i mor galon galed am y peth.

Newidies i lot pan ffeindies i mas mai fel 'na o'dd rhaid i chi weithredu.'

Sychodd Efan ei ddwylo briwsionllyd mewn clwtyn oedd ar yr hambwrdd.

'Wrth gwrs, mewn byd lle bydde pawb fel chi a fi . . .' meddai Gwen, ond roedd y teimlad o gyd-ddeall wedi hen ddiflannu.

Ar ôl eistedd a mwydro am hyn, llall ac arall – heb fawr o fwynhad – cariodd Efan yr hambwrdd i'r gegin ac fe ddilynodd Gwen, yn grwm i gyd. Roedd yr haul wedi dallu Efan, ac wrth iddo gerdded tuag at y lolfa gwnaeth ymdrech i gyfarwyddo â gwyll y tŷ unwaith eto.

Roedd y carped pinc golau yn stribed hir hyd at y lolfa ar y chwith, a'r gegin a'r ystafell fwyta ar y dde. A doedd dim sôn am y Pekingese yn unman.

'Y cŵn?' holodd Efan gan bwyso i lawr a chwilio amdanyn nhw. Roedd Efan yn deall cwyn Gwen am Trefor yn iawn. Fel arfer, fyddai e ddim am weld y cŵn o gwbl, ond heddiw, am eu bod nhw mor anweledig, roedd arno angen eu sylw nhw.

'Mae'n rhaid i fi egluro rhywbeth,' meddai Gwen gan edrych yn druenus ar Efan. 'Do'n ni ddim ishe gweud y gwir wrthoch chi . . . ond mae Gwenhwyfar wedi'n gadael ni.'

'Gwenhwyfar? Ond roedd hi'n iach fel cneuen . . .'

'. . . oedd,' torrodd Gwen ar ei draws yn dawel a'i phen yn isel, 'dewch i'r lolfa i fi gael egluro beth ddigwyddodd. Ydych chi'n meddwl y gallech chi basio'r *linguaphone* Almaeneg 'na o dop y *bureau* i fi hefyd?'

Estynnodd Efan amdano, gan ystyried am eiliad pam fyddai rhywun yn dewis dysgu iaith newydd os oedden nhw mor hen â Gwen. Roedd y peth yn ymddangos yn hurt am ryw reswm.

Dilynodd Efan ei ffrind yn araf.

'Steddwch,' ac fe eisteddodd Efan ar gadair esmwyth gan hiraethu am y Steinway oedd ar ochr arall yr ystafell. Roedden nhw fel cariadon wedi dieithrio. Dyma pam fues i'n dod yma, *baby*, i dy weld di. Ond mae dynes arall wedi dod rhyngom ni, yn gwrthod gadael i mi dy whare di. Mae hi'n mynnu fy sylw, a cha i mo'r pleser o roi fy mysedd dros dy nodau. Ond rhyw ddydd, meddyliodd Efan, rhyw ddydd, fe fyddi di yn fy mreichiau eto. Mewn ewyllys, gobeithio. Teimlai bang o euogrwydd am feddwl felly. Diolch i'r drefn, doedd neb yn gallu darllen ei feddyliau.

'So, ble mae'r lleill?' holodd Efan, yn ddryslyd.

'Mae Mered ac Arianwen mewn *counselling* ar hyn o bryd.'

'Mewn *beth*?' Cafodd gymaint o sioc fel y bu bron iddo anghofio dangos unrhyw sensitifrwydd. Yna rhoddodd ei ddwylo at ei gilydd a phwyso ymlaen yn gwestiyngar.

'*Counselling*, Efan. Maen nhw wedi byw gyda'i gilydd ar hyd yr amser.'

'Ok,' meddai Efan heb ddeall yn iawn. 'A phwy sy'n rhoi'r *counselling* 'ma iddyn nhw?'

'Edward Huws, lan yn y Fro – fe fyddan nhw 'nôl toc. Mae'n hen draddodiad Celtaidd i drin anifeiliaid fel galarwyr. Chi'n meddwl mod i off 'y mhen, on'd y'ch chi?'

Syllodd Gwen ar Efan am eiliad yn rhy hir. Roedd hi'n edrych wedi blino heddiw, ei gwallt yn fflat, a'i gwefusau'n sych.

'Chi'n meddwl mod i'n hen fenyw sy 'di colli'i marbls.' Roedd hi'n cil-wenu.

'Na,' meddai Efan yn ansicr, 'jyst bo fi ddim yn gwbod am y traddodiad 'na. 'Na i gyd . . . diddorol.'

Ond doedd Efan ddim wedi llwyddo i ddarbwyllo Gwen. Gwenodd hi arno a'i llygaid yn gul.

'A lle mae Gwenhwyfar 'di ca'l 'i chladdu?' *Need I ask,* meddyliodd Efan.

'Ym mynwent y cyfeillion anwes yn Taf Court, gyferbyn â'r . . .'

'Wy'n gwybod,' meddai Efan, gan dorri ar ei thraws. Roedd hi'n amlwg yn cael ryw dawelwch meddwl wrth allu trefnu hyn i gyd, ond roedd Efan yn meddwl ei bod hi'n hollol nyts am wneud. Sut mae dweud wrth fenyw sydd wedi bod yn siarad yn weddol gall yn yr ardd, ei bod hi nawr yn siarad *bollocks*?

Cwympodd tawelwch dros yr ystafell. Roedd hi'n amhosib meddwl am y peth iawn i'w ddweud. *Counselling!* Beth yffach fyddai Edward Huws yn ei wneud gyda dau gi hurt heblaw am roi enema i'r diawled? Yna, edrychodd Gwen arno, ei hwyneb yn annwyl ac yn feddal, fel pêl-droed wedi colli'i aer.

'Dwi wedi'ch galw chi yma am reswm arall hefyd. Wy ishe gofyn rywbeth . . . ishe gofyn . . .' oedodd hi ac anadlu'n drwm, 'wy'n teimlo'n hurt yn gofyn . . .'

Doedd gan Efan ddim syniad beth roedd hi'n mynd i'w ddweud nesa . . .

'A fyddech chi'n fodlon bod yn *next of kin* i fi?'

'O?' holodd Efan, heb ddeall arwyddocâd y peth yn iawn. Beth am ei merch hi?

'Wy'n gwbod ei fod e'n beth twp, ond wel, wy yn y broses o newid fy shiwrans, ac wrth i fi 'i lenwi fe, feddylies i y bydde'n well 'da fi mai'ch enw chi fydde'n mynd lawr. Yn lle'r ferch.'

'A does neb arall?' holodd Efan, gan sylweddoli ar ôl ei ddweud bod hynny'n swnio'n ofnadwy.

'Oes, wrth gwrs fod pobl eraill, ond bydden i'n hapus tasech chi . . .'

Torrwyd ar ei thraws gan sŵn y gloch.

'W, y babis! Fyddech chi'n fodlon . . ?' Gwnaeth Gwen ystum fod angen ateb y drws. 'Ddo i ddim i drafod gydag Edward nawr.'

'Wrth gwrs. Dim problem.'

Cododd Efan a mynd allan o'r ystafell. Meddyliodd am yr hyn roedd Gwen newydd ei ofyn. Byddai'n fwy na hapus i nodi'i enw ar y daflen, er nad oedd e'n siŵr beth oedd goblygiadau hynny. Ond pam ġofyn nawr? Pam heddiw? A beth am ei merch hi?

Agorodd y drws ffrynt. Pwy oedd yno, gyda dau dennyn ci a pheli o fflwff, ond Edward Huws. Wyddai Efan ddim a oedd yr Edward 'ma off ei ben neu'n cael amser da yn gwneud arian ar draul hen fenywod *idiotic* oedd yn fodlon talu drwy'u trwynau am gwnsela i gŵn. Cŵn-sela, meddyliodd wrtho'i hun.

'Pa hwyl sydd, fachgen!' meddai. Off ei ben, felly.

'*Alright?*' meddai Efan, gan wneud ymdrech fwriadol i swnio mor Kerdiff â phosibl er mwyn bod yn wahanol i'r prat hwn.

'Ydy Gwen yma?'

'Nac ydy, wel ydy, ydy. Mae hi i mewn, ond mae wedi gofyn i fi agor y drws.'

Clywodd Efan lais yn dod o'r lolfa.

'Diolch, Edward!'

'Croeso!' gwaeddodd yntau'n ôl a phoer yn sgitio o'i geg. Glaniodd un darn o boer, a rhywbeth arall, ar ei farf lwyd. Roedd y ddau'n siarad gyda'i gilydd mewn ryw sffêr arall, heb allu gweld ei gilydd, gydag Efan yn y canol yn dyst i'r cyfan.

Gafaelodd Efan yn y ddau dennyn a gadael i'r ddau ddarn o fflwff sniffian ei sgidie.

'Iawn 'te,' meddai Efan, gan ddynodi bod y sgwrs ar ben, 'diolch i chi.'

'Ie, diolch,' meddai Edward. Ond wrth i Efan gau'r drws roedd Edward yn dal i sefyll yno.

'Hwyl,' meddai Efan wedyn, gan obeithio y byddai'r gŵr yn gadael. Clodd y drws, ond roedd Edward yn dal i sefyll yno. *You're 'avin' a laugh*, meddyliodd Efan. Roedd e'n teimlo fel petai e'n seren mewn comedi ofnadwy o wael.

'Ydy babis Mami yma?' holodd Gwen yn uchel ac fe ollyngodd Efan y ddau dennyn. Rhedodd y cŵn oddi wrtho, a'r ddau dennyn yn llusgo ar hyd y carped pinc. Rhedodd y cŵn, a'u coesau nhw'n fflicio'n ôl ac ymlaen, i freichiau eu mam. Wrth iddynt redeg, sylwodd Efan yn ddigon clir ar goesau ôl un o'r Pekingese. Doedd Mered ddim yno. Yn sicr. Roedd Mered yn rhedeg yn fwy camp, ac roedd ei flew e'n dywyllach. O damo, meddyliodd Efan, mae hi wedi gwneud camgymeriad. Nid Gwenhwyfar oedd wedi marw, ond Mered. Pan aeth i mewn i'r ystafell, roedd y ddau greadur yn swatio'n gyfforddus yng nghôl eu mam, a Gwen bellach yn gyflawn rywsut.

'O Arianwen fach, a Mered Mami. Bydd raid i ni wrando ar ychydig bach o fiwsig gyda'n gilydd heno. Ymlacio.'

Edrychodd Efan arnyn nhw'n ofalus. Oedd, roedd e'n siŵr erbyn hyn. Nid Gwenhwyfar oedd wedi marw, ond Mered. Eisteddai'r ddwy ferch yno'n jocôs ac roedd wyneb eu perchennog yn bictiwr. Doedd ganddo fe mo'r galon i ddweud gair. Wedi'r cyfan, roedd Gwen wastad wedi dwlu ar Mered, a byddai clywed ei fod e wedi marw yn siŵr o dorri'i chalon hi. Oedd e'n ormod i awgrymu bod Gwen yn gwybod yn iawn mai Mered oedd wedi trigo, ond ei bod hi'n jocan iddi hi ei hun mai Gwenhwyfar oedd wedi popio'i chlogs? Safodd Efan yno gan gofio'r hyn ddwedodd hi allan yn yr ardd. 'Dyw rhai pobl ddim ishe agor eu llyged.'

'Sori Gwen, ond bydd raid i fi fynd mewn munud. Ydych chi am i fi arwyddo ryw . . .?'

Sgutiodd Gwen y cŵn i'r llawr wrth gofio'r job roedd hi wedi hanner ei roi ar waith.

'Ie, ie, eitha reit hefyd. Lle mae'r ffurflen 'ma, gwedwch?'

'Allwn ni 'i adael e tan y tro nesa, os chi moyn, sdim brys . . . a ta beth, bydd Gwen, sori, Crid yn disgwyl fi 'nôl nawr.'

Aeth ei fochau'n goch ac yn dwym. Doedd e ddim yn hoffi'r ffaith ei fod newydd ddrysu rhwng enwau Gwen a Crid. *Cringe*. Ond anwybyddodd Gwen hyn, a chario mlaen i ymbalfalu yn ei bag.

'A, dyma ni. *Information Sheet*.'

'Ie,' meddai Efan, 'mae e yn y Gymraeg ar yr ochr arall.'

Edrychodd hi ddim i fyny. 'Ie, wy'n deall 'nny, ond well 'da fi lenwi'r ochr Saesneg.'

Ffycin hel, meddyliodd Efan. Cafodd ei ddysgu'n ifanc iawn bod angen gwneud yn siŵr eich bod chi'n trio llenwi popeth yn Gymraeg. Roedd ei fam yn arfer bod yn eithaf awyddus i wneud yn siŵr bod pethau ar gael yn Gymraeg pan oedd e'n blentyn, ond roedd yr atgofion hynny ohoni hi'n gwneud safiad yn teimlo fel bywyd arall. A doedd ffyc o ots am y Gymraeg lle roedd hi nawr, oedd e?

Oedodd Gwen am eiliad: 'A chi'n siŵr bod dim ots gyda chi?'

Gafaelodd Efan mewn beiro o'i boced ac ysgrifennu'i enw. 'Fanna?' holodd gan syllu ar y daflen.

'A fanna,' meddai hi gan roi ei bys bach ar y papur. '*Capitals*,' meddai.

'Iawn,' meddai Efan gan arwyddo.

'O'n i am ofyn i rywun wy'n 'i drysto,' meddai Gwen yn addfwyn. Yna, gwenodd yn dyner arno ac ar yr union foment honno daeth slefren o olau'r haul drwy'r ffenest.

'A beth o'ch chi'n feddwl am y *text*?'

Chwarddodd Efan yn ysgafn gan nodio'i ben, 'Ie, ie, da iawn. O'n i'n *impressed*.'

Pwysodd i lawr a cheisio rhoi pat ar gefn un o'r cŵn. Chwyrnodd 'Mered' arno fel pe bai hi'n gwybod ei fod e'n deall yn iawn beth oedd yn mynd ymlaen. Gwenhwyfar ac Arianwen oedd yno, dim dowt.

'Ma' nhw *yn* ciwt.' Cwympodd y celwyddau'n bert o'i geg. 'Wy'n sori bo' chi 'di colli un.'

'Diolch,' meddai Gwen, gan syllu i gannwyll ei lygaid.

Cododd Efan ychydig yn rhy sydyn a theimlo'r bendro'n dod drosto cyn iddo adael yr ystafell. 'Tan y tro nesa, 'te!'

'Ie, hwyl nawr! A diolch am ddod draw!' meddai hi, yn amlwg yn siomedig ei fod e'n mynd.

Cyn i Efan gau'r drws yn glep, clywodd fod Gwen wedi troi'r radio ymlaen eto. Mae'n siŵr fod angen cwmni arni ar bnawn hir fel hyn, meddyliodd. Teimlai'n euog am ei gadael hi. Pe bai'n onest, credai fod y cŵn yn gwneud i Gwen ymddangos yn nyts. Heblaw amdanyn nhw roedd hi'n hollol bril, o gwmpas ei phethe'n llwyr. Am eiliad fach *twisted*, dychmygodd godi'r ddau gi oedd yn weddill, clymu bricsen yr un wrth eu cyrff bach drewllyd a'u taflu ar eu pennau i lyn y Rhath. Yn ei ben, gwyliodd nhw'n suddo'n araf i lawr i waelodion y llyn a Gwen yn dod tuag ato â gwên ar ei hwyneb. Dychmygodd gyfarthiad olaf y cŵn o dan y dŵr . . .

A gyda hynny, taniodd Efan injan y car.

pennod chwech

William Steinway's first wife, Regina, seems to have slept with almost every man she met in order to assuage her loneliness and compensate for marriage to a workaholic husband.

Steinway and Sons, *R K Lieberman*.

Wrth i Efan yrru'n ôl i Grangetown fe deimlodd ei ysgwyddau'n tynhau, yn llawn tensiwn. Yn dawel bach, roedd e'n gobeithio y byddai Crid wedi gadael am ei gwaith yn barod. Doedd e ddim yn siŵr iawn pam roedd e'n teimlo dan straen yn sydyn reit. Efallai'n wir mai digwyddiadau'r pnawn oedd yn dechrau suddo i'r isymwybod. Doedd e ddim yn siŵr.

Wrth iddo gerdded o'r car tuag at y tŷ, teimlodd ryw hiraeth am y dyddiau a fu. Roedd popeth fel pe bai wedi newid gymaint yn ddiweddar. Wedi cymhlethu. A Warwick Street yn yr un modd; roedd y stryd wedi newid hefyd. Bu adeg, ar ddiwrnod clir, pan allai dyn glywed sŵn torf Parc Ninian yn blaen. Ond erbyn heddiw, roedd hynny'n ddarn o hanes hefyd. Estynnodd am ei allwedd i'r tŷ er mwyn ceisio dianc rhag yr atgofion. Wrth wthio'r allwedd drwy dwll y clo, clywodd sgrechiadau aflafar uwchlaw. Oedd, roedd un peth wedi aros yn gyson yn yr hen le 'ma. Y blydi gwylanod. Blydi gwylanod Grangetown. Doedden *nhw* byth yn mynd i ddiflannu. Nhw â'u cwyno di-drugaredd. Nhw â'u pigau busneslyd. Yn gwthio'u ffordd drwy dy sbwriel. Yn rhwygo tyllau yn dy fagiau bwyd gan fynnu dangos dy gyfrinachau i'r byd. Aeth i'r tŷ, er mwyn dianc rhag sŵn eu sgrechian nhw.

Sodrodd ei fag tiwnio yn y cwtsh dan stâr a fflopio ar y soffa. Roedd y lle fel y bedd, yn farwaidd. Doedd Crid ddim yma, felly? Doedd e ddim yn cwyno chwaith. Gorweddodd ar y soffa am sbel cyn troi swits y teledu 'mlaen. Doedd dim byd yn tycio. Dim byd yn help iddo ymlacio. Yna, ar ôl gwylio rhaglen goginio am ormod o amser o lawer, gorweddodd yn ôl ar y soffa a gorfodi'i hun i feddwl am yr hyn roedd e wedi'i wneud heddiw. Doedd e ddim yn gallu credu ei fod e wedi gweld Y Fawd yn ffwcio Gerwyn Teifi. Roedd yr holl beth yn ymddangos mor swreal, fel breuddwyd ryfedd. Doedd e'n methu cweit â chredu fod y pâr bach hapus – obsesif bron iawn, oedd wedi symud i Dongwynlais – ddim yn berffaith. Bitsh fuodd yr Anwen 'na erioed, meddyliodd, ond doedd e ddim wedi sylweddoli ei bod hi'n gymaint â hyn o fitsh, chwaith. A sut ddiawl oedd Gerwyn a'r Fawd wedi dod ar draws ei gilydd beth bynnag? Yna cofiodd; roedd Meryl wedi sôn am ryw gyfres newydd oedd gan Gerwyn ar y gweill, cyfres oedd yn dilyn awdurdodau iechyd. Er mor yffachol o *shit* roedd y rhaglen yn swnio, roedd darnau'r jigso'n dechrau dod at ei gilydd. Yna, sgrialodd ei feddwl at S4C. Sut ar wyneb y ddaear hon roedd rhaglen mor ddiflas wedi cael comisiwn? Bydde Jiv, Pont ac Efan wedi gallu meddwl am syniad gwell yn y broses o fynd yn *rat-arsed* yn y

Shitty Arms. Yna, gwibiodd ei feddwl yn ôl at y boncio. Boncio lled-gyfarwydd oedd e, meddyliodd Efan. Roedd e bron iawn yn sicr fod y ddau yna wedi shagio o'r blaen. Roedd blas ail-gusan ar bopeth. Roedden nhw'n symud yn rhy rhwydd, yn bwrw'u cyrff yn erbyn y wal yn rhythmig. Yna, *shit*, wrth feddwl am ddau berson yn gwneud hynny, dechreuodd Efan deimlo yr hoffai yntau gael rhyw felly. Hyd yn oed ar awr mor emosiynol roedd yr hen filwr yn mynnu dod i'r gad.

Calliodd a chofio am blant Gerwyn Teifi. A druan â Meryl wedyn. Roedd hi'n fenyw iawn ac roedd e wedi dod ymlaen yn dda gyda hi. Roedd hi'n amlwg yn becso am bethau'r byd; wedi'r cyfan, roedd hi'n aelod o grŵp 'Gwarchod y Gwyrddni' gyda'i dad. Roedd cydwybod gymdeithasol 'da hi, yn wahanol iawn i'w gŵr. Doedd hi ddim yn ymddangos bod gydag e gydwybod o gwbl.

Penderfynodd fod yn rhaid cau pen y mwdwl yn rhywle wrth iddo ddechrau pigo'r croen sych ar ei draed. Doedd dim pwynt eistedd fan hyn yn gor-feddwl drwy'r nos. Roedd e'n cytuno gyda Gwen erbyn hyn – doedd dim diben dweud gair wrth Pont. Ond roedd un opsiwn arall ar ôl hefyd. Cael gair gyda'r Fawd. Syml. Estynnodd ar ôl tipyn am Stella o'r ffrij a gwylio rhyw raglen wael. Roedd e'n gweld eisiau rhaglen *Richard and Judy*. Dyma'r amser fydden nhw wedi bod ar y teledu fel arfer. Waeth beth roedd unrhyw un arall yn ei ddweud, roedd e'n eu hoffi nhw. Gallai weld bod Richard yn dipyn o brat, ond ar y llaw arall roedd e'n edmygu'r ffaith bod y ddau yn adolygu llyfrau ar y rhaglen. *Bringin' words to the masses*, yn lle gwneud i bobl feddwl mai'r unig ddewis sy ganddyn nhw yw gwylio'r teledu. Wrth gwrs, roedd e yr un mor wael â phawb arall. Byth yn ffycin darllen. Gwrando ar lyrics caneuon? Oedd, drwy'r amser. Ond darllen, na. Dim os oedd e'n onest am y peth. Roedd Crid yn darllen. *Shit loads*. Wastad yn prynu llyfrau Cymraeg hefyd. *Good on her*, meddyliodd Efan. Dyna pam roedd e wedi'i hoffi hi yn y lle cyntaf. Y tro cyntaf iddyn nhw gyfarfod yn Clwb, aethon nhw 'nôl i'w fflat hi yn Canton ac wrth iddyn nhw gusanu, sylwodd Efan ar y silffoedd llawn llyfrau oedd yn syllu i lawr arnyn nhw. Roedd hon yn ferch o sylwedd, meddyliodd; byddai hon yn medru fy nghario i.

Cododd oddi ar y soffa, gan deimlo ei fod e'n iselhau ei hun yn gwylio'r holl grap oedd ar y teledu, ac aeth draw at y piano. Roedd y teledu'n dal i weiddi, ac Efan yn rhy ddiog i'w ddiffodd, ond ymlwybrodd at yr offeryn ac eistedd ar y stôl fach gyda'i defnydd gwyrdd pigog yn teimlo'n anghyfforddus o dan ei ben-ôl.

Syllodd ar y nodau, y du a'r gwyn yn ei bwnio yn ei wyneb. Estynnodd ei fysedd drostynt, heb wneud unrhyw sŵn. Ystyriodd chwarae hen ffefryn, neu estyn copi o'r pentwr blêr, mynyddog ar ben y piano, ond doedd arno fawr o awydd. Syllodd ar y nodau du oedd fel collnodau rhwng y gwyn. Am eiliad, ei fywyd e oedd y nodau gwyn, glân a'i broblemau oedd y nodau du, yn acenion poenus nad oedd modd eu rhag-weld nhw. Ac roedd y nodau du yn eistedd yn uwch na'r rhai gwyn, yn teyrnasu dros bopeth arall. Fel hyn roedd bywyd yn teimlo heddiw. Gwyddai fod ganddo lot fawr o *shit* i'w sortio allan a'i fod wedi bod yn gwthio'i broblemau o'r neilltu am yn rhy hir. Ond heddiw, roedden nhw ar flaen y meddwl. Pam na allai pob awr deimlo fel yr oriau a dreuliau yn nhŷ Gwen? Yr oriau diogel hynny, sy'n gwneud i ti deimlo bod modd delio gyda phopeth. Ceisiodd ddychmygu'r teimlad o gyrraedd tŷ Gwen. Mynd i mewn i'r tŷ, yr haul yn gwenu drwy'r ffenestri. Teimlad o groeso, teimlad o ddiogelwch, teimlad o sicrwydd. Ymlaciodd ei ysgwyddau a gosod ei fysedd ar y nodau. Ymlwybrodd ar hyd y piano gan chwarae cordiau yn D fwyaf. Roedd e'n hoff o naws D fwyaf. Roedd yna ryw elfen lachar i alawon roedd e'n eu creu yn y cywair hwnnw. Dechreuodd greu alaw gyda'i law dde a chwaraeodd gordiau ysgafn ac araf gyda'i law chwith. Cafodd gymaint o hwyl arni nes iddo benderfynu codi a diffodd y teledu. Rhedodd yn ôl at y piano, oedd wedi cynnig rhai munudau o gysur iddo ar bnawn mor anodd. Llifodd yr alaw fel jam mefus dros bob man. Alaw felys, felys oedd gan Efan heddiw. Alaw oedd yn trio gafael mewn hapusrwydd a'i wthio'n ddwfn i'w enaid. Doedd e ddim yn gwybod a oedd e'n ei helpu ai peidio, ond roedd jam coch yr alaw yn prysur daenu ei hunan dros y walydd, dros y piano, ac arogl mefus yn llenwi'i ben. Oedodd wrth i'r alaw fygwth diflannu o'i afael. Ond roedd hi yno, roedd hi'n dal yno. Rhwbiodd ei ddwylo yn erbyn ei gilydd gan geisio cofio'r bachyn yn yr alaw oedd wedi dod yn obsesiwn bron iawn. Ceisiodd ei hail-greu hi unwaith eto. Ei llifo hi'n donnau o jam dros bob man. Ond ddaeth hi ddim, a doedd e ddim yn gallu cofio nodyn ohoni. Gallai Efan deimlo'r rhwystredigaeth yn dal yn dynn yn ei ysgwyddau, yn ailblannu'r tensiwn dros ei gefn i gyd. Doedd e ddim yn deall; pam nad oedd e'n gallu cofio? Symudodd oddi wrth y piano. Roedd e'n grac gydag ef ei hun, yn grac gyda'r offeryn am beidio â sibrwd cliwiau iddo. Gorweddodd ar y soffa eto, gan syllu ar sgrin wag y teledu.

Yna'n sydyn gwibiodd syniad i'w feddwl; mor braf fyddai mynd am beint gyda'r bois. Dyna fyddai'n gwneud pob dim yn iawn. Guinness. Llif du i lawr ei gorn gwddwg. Llif a fyddai'n ei dawelu nes ei fod yn llonydd unwaith eto. Ond wrth gwrs, y person ola roedd e moyn ei weld oedd Pont. Byddai wyneb Y Fawd yn syllu'n ôl arno, a'r euogrwydd yn ei lethu'n araf, yn ei dagu. Na, doedd dim dewis ganddo ond aros i mewn heno. Doedd unman yn saff rhag y celwyddau rhagor. Ddim hyd yn oed y Cornwall. Ddim hyd yn oed ei ffrindiau gorau.

Ac yna, wrth deimlo'r byd yn cau amdano, gwawriodd syniad arall. Yn felyn ac yn fawr, yn oren a phinc fel coctêl *sex on the beach*. Sylweddolodd mai syniad yffachol o gachu oedd e, ond gwyddai hefyd ei fod wedi'i gyffroi gan y posibilrwydd. Fe alle fe fynd i JJs, i'r gig roedd Meryl wedi sôn amdani. Roedd Cadi'n mynd, yn ôl ei mam. Efallai'n wir y byddai Megan yn mynd hefyd . . .

Yna, yn ei ddull cynllwyngar, dihafal ei hun, penderfynodd anfon neges at ei hen ffrind Martin Albright, ymchwilydd i Sesiwn Hwyr Radio Cymru. Fyddai noson gyda Martin ddim yn ryw lawer o hwyl, ond os oedd hynny'n golygu bod ganddo gwmni i fynd i'r gig 'ma, roedd e'n ddigon o hŵr-ffrindiau i gysylltu ag e. Roedd Pont yn aml yn chwerthin am ben Martin a'r ffaith ei fod yn gweithio i Sesiwn Hwyr. Yr eironi mawr oedd taw sesiwn cynnar roedd pawb yn ei gael gyda Martin am eu bod nhw'n meddwi'n gynnar ac yn glou er mwyn osgoi siarad gydag e. Gafaelodd yn ei ffôn ac anfon neges.

'Iawn Martin? Ti mas heno? Meddwl mynd i JJs'

Chwarae teg i Martin, fel tic y cloc, wedi i Efan fod yn y gawod yn mwytho'i goc ac yn dal ei fola i mewn, roedd neges destun yn aros amdano. Gorweddai'r ffôn ar y gwely ac amlen yn fflachio'n dawel, ddisgwylgar ar y sgrin.

'Yna nawr as it happens, neud eitem ar Pidyn Pwy a Iest Lloyd i RC. Der draw'

Landed. Rhyfedd fel mae pethau'n cwympo i'w lle weithiau, fel pe baen nhw i fod i ddigwydd. Penderfynodd fynd am ddiod bach i O'Neills ar ei ffordd i JJs. Doedd e ddim am fod yn y gig yn gynnar, a doedd e ddim yn hoffi cyrraedd llefydd heb gwmni os nad oedd e wedi yfed ychydig o flaen llaw. Aeth o'r tŷ gyda chrys gwyn ar ei gefn. Wrth gloi'r drws, teimlodd aer cynnes y gwanwyn cynnar yn dawnsio rhwng y defnydd a'i groen. *Lush,* meddyliodd. *I love it.*

Sylwodd ar dri o blant yn chwarae gyda phêl droed ar ochr arall yr hewl. Merch a dau fachgen. Un bachgen croenddu a bachgen gwyn ei groen. Roedd y ferch fach yn amlwg yn chwaer iddo. Gwyddai Efan fod y bachgen croenddu'n ddisgybl yn Ysgol Gymraeg Pwll Coch am fod ei dad yn mynd 'mlaen a 'mlaen am y peth yn y siop gornel bob cyfle a gâi. Rywffordd roedd y tad ac Efan yn mynd i brynu pethau o'r siop yr un adeg yn union, drwy'r amser, bron iawn nes bod y peth wedi dechrau troi'n jôc. Chododd y plant mo'u pennau wrth i Efan gerdded ar hyd y stryd. Plant y ddinas oedden nhw, wedi'r cyfan. Tasen nhw'n codi eu pennau bob tro roedd rywun yn pasio, fyddai dim byd yn cael ei gyflawni . . .

Wrth grwydro'n hamddenol trwy Grangetown, sylwedd-
olodd nad oedd e wedi gweld Crid. Doedd e ddim yn
siŵr pa shifft roedd hi'n gweithio erbyn hyn; roedd ei
hamserlen hi'n ei ddrysu'n lân yn ddiweddar. Cerddodd i
lawr y stryd a gorfod iddo oedi wrth i Mr Samuel oedd yn
byw ambell ddrws i lawr godi o'i gwrcwd. Roedd y boi
yma'n garddio yn wyth deg mlwydd oed, chwarae teg
iddo. Gŵr a chanddo acen Caerdydd anhygoel hefyd. Yn
aml, byddai'r ddau yn bondio am y ffaith nad oedden
nhw'n hoffi *Coronation Street*, ac yna byddai Mr Samuel
yn codi'r pwnc roedd e'n ei godi bob ffycin tro . . .

'*I saw Poblicwm again Sunday*, Iffan.'

'*Oh, great*,' meddai Efan, i gyfeiliant sŵn y plant yn
plannu gôl yn erbyn wal cartref rhywun. '*It's better than
it was, innit . . .*'

'*Aye, you're no' wrong there. Don' understan' a word
mind, but I loves it.*'

Ac yna mae'r ddau yn gwenu am eu bod nhw'n
gwybod yn union beth sy'n dod nesaf . . . pob ffycin
tro . . .

'*Yeah, I know*,' meddai Efan gan ochneidio, '*but you
could always go for lessons mind, Mr Samuel.*'

Gwên fach slei arall, gan y ddau.

'*Wha? At my age, is it? I'm nearly eighty-seven, boy.*'

I fuckin' well know that, meddyliodd Efan. Ti'n gweud
wrtha i bob blydi dydd.

'*Aye, well, you knows what I says, Mr Samuel . . .*' ac
yna meddai'r ddau gyda'i gilydd, '*. . . It's never too late to
learn.*'

Dyma'r ddau'n chwerthin am fod eironi'r ffaith eu
bod nhw'n codi'r peth bob blydi dydd yn canu yn eu
clustiau nhw. A marwolaeth yn dod yn agosach bob

dydd. I'r ddau. Cododd Efan ei law a cherdded i ffwrdd, a diflannodd Mr Samuel yn ôl i'r llawr, i'w gwrcwd ymysg ei flodau. Roedd Efan yn edmygu'r boi, am frwydro ymlaen, am joio bywyd.

Roedd cerdded drwy'r dre ar noson fel hon yn bleser. Ysai am gael yfed ei beint cyntaf nawr. Ysai hefyd am gael teimlo fel myfyriwr eto. Yr adeg hynny pan roedd nos Fawrth yn noson normal i fynd allan a meddwi'n gocls. Doedd e ddim yn siŵr beth oedd yn ei dynnu tuag at y dref heno. Ai chwilio am ei ieuenctid oedd e? Ynteu jyst byw? Casglodd wrth groesi Heol y Santes Fair nad oedd e mor hen â hynny. Ti mor hen â ti moyn bod, Efan bach, meddai llais yn ei ben. Roedd nifer o bobl yn *symud* i Gaerdydd yn wyth ar hugain oed, ac yn dechrau eu bywydau gwyllt bryd hynny. Ond am fod Efan wedi cael ei fagu yma, wedi bod yn y coleg yma ac yn dal i fyw yma, gallai weld haenau ei fywyd a'i atgofion ar y strydoedd 'ma wrth gerdded. Gallai weld ei hun yn ei ddillad Goth yn dod o gyfeiriad Spillers, yn llwythog â CDs. Gallai weld e a'i gariad cyntaf, Sophie George, yn dod allan o siop ddillad Barker. Gallai weld Crid a fe ar eu dêt cyntaf, yn gafael dwylo'n dynn, yn ysu am gael caru eto, fel y noson feddwol gyntaf ar ôl Clwb.

Crwydrodd Efan ar hyd y stryd gan geisio gwthio'r atgofion yn ddwfn i'w berfedd. Roedd heddiw'n ddiwrnod newydd, roedd nawr yn gyfnod glân, ffresh. Teimlodd Efan awel dwyllodrus y gwanwyn cynnar yn gwibio yn erbyn ei freichiau noeth. Am eiliad, teimlodd yn oer. Dylai fod wedi dod â siaced. Er nad oedd e'n un arbennig o wyllt yn ei ugeiniau cynnar, nawr ei fod e'n nesáu at fod yn dri deg roedd e'n dechrau casáu'r ffaith bod disgwyl i rywun fod yn gallach. Yn eironig ddigon, ac yntau wedi bod mewn cwpwl o berthnasau hir-dymor a digon difrifol, nawr fod pawb yn disgwyl i ti fod yn gall a chyfrifol a phriodi ac ati, roedd Efan am gicio yn erbyn y tresi. Yn syml, doedd ei enaid e ddim am wneud yr hyn roedd disgwyl iddo ei wneud. Yr hyn roedd cymdeithas, ffrindiau a theulu yn disgwyl iddo ei wneud. Wrth gwrs, roedd e'n dal yn ifanc iawn, yn dal i wybod pa fandiau oedd yn chwarae yn gigs y ddinas, ond roedd mynd i gig lle'r oedd criw o fandiau chweched dosbarth yn chwarae yn eithaf anarferol i ddyn o'i oed. Roedd y sîn yma, mewn gwirionedd, allan o'i afael, ac efallai mai dyna pam roedd e'n teimlo y dylai fynd yno os oedd e'n dymuno. Pwy ffyc oedd â'r hawl i awgrymu ei fod e'n rhy hen i wneud unrhyw beth?

Cyrhaeddodd O'Neills a pharcio'i din ar stôl bren wrth y bar. Taflodd gyfarchiad at y gŵr y tu ôl i'r bar a gofyn am beint o Guinness. 'Nice one,' meddai pan ddaeth y peint. Yfodd y triog yn araf, cyn cofio nad oedd wedi cael swper. McDonalds ar y ffordd draw, 'te. Yfodd beint arall wedyn, gydag afiaith, a daeth rhywun i eistedd wrth ei ymyl. Doedd e ddim yn y mŵd i siarad gyda neb, ac o glywed anadl y dyn wrth ei ymyl, roedd hwn yn ffycd allan o'i frêns.

'Alright, mate?' Syllodd Efan arno. Hen ddyn crebachlyd yr olwg gyda darnau o groen sych yn cwympo oddi ar ei wyneb fel siafins. Dyn gwirioneddol hyll oedd hwn. Doedd dim byd caredig y gellid ei ddweud am ei wyneb. Roedd ei fochau'n goch, ac roedd e'n *classic aneurysm* yn aros i ddigwydd. Roedd gwyn ei lygaid yn felyn, ac un ohonyn nhw'n fwy na'r llall.

Alcoholic, doedd dim dowt. Plîs, paid â dechre siarad 'da fi. Plîs paid. Yna, sylwodd Efan fod y boi'n gwisgo bathodyn James Connolly.

'James Connolly,' meddai Efan, *'man of the people.'* Pam ddiawl wyt ti wedi dechre sgwrs gyda'r boi 'ma? meddyliodd.

Gwylltiodd yr hen ddyn, *'You youngsters don't know what the fuck "the people" means anymore. No one fuckin' does.'*

Trawyd Efan gan y gair *youngsters* yn gyntaf. Synnodd faint o bleser roedd yr un gair bach hwnnw'n gallu ei roi i rywun. Ond am gŵyn yr hen ddyn, wel, y gwir oedd nad oedd Efan yn gwybod y nesaf peth i ddim am James Connolly. Roedd e'n gwybod mai sosialydd yn Iwerddon oedd e, ond dim mwy. Gan ei fod e wedi byw ar y ddaear hon am bron i dri deg mlynedd, doedd ryfedd fod rhai ffeithiau dibwys wedi amsugno i'r sbwng llac o bryd i'w gilydd.

Camodd dyn y bar i'r adwy: *'If we're goin' to 'ave any more lip from you, Alwyn, you'll be out, right?'*

Ymgrymodd yr Alwyn meddw hwn a geirio 'sori' ryw ddeg o weithiau. Alwyn, meddyliodd Efan. Falle ei fod e'n Gymro Cymraeg. Yfodd Efan am ychydig. Yna, mentrodd.

'Chi'n Gymro, odych chi?'

Cododd y boi ei ben, 'Siŵr ffwc 'y mod i.'

'A,' meddai Efan, 'shwmai.'

Dyna ofnadwy, meddyliodd, ei fod e'n fodlon newid ei farn am y boi 'ma nawr ei fod e'n gallu siarad Cymraeg. Doedd hwn yn amlwg ddim wedi cael lwc mewn bywyd, felly, ond doedd e ddim wedi lladd neb chwaith. *No way* ei fod e. Nid os oedd e'n siarad Cymraeg.

'Wy'n cofio bod dy oedran di.'

Gwenodd Efan. 'Ble chi'n dod o?'

'O'r un lle â dy fam di.'

Cochodd Efan. Be ffwc oedd hynny i fod i feddwl? O'r groth? Ffraeth iawn. Gostyngodd Alwyn ei ben eto; prin roedd e'n gallu anadlu, heb sôn am siarad.

'Sori?' holodd Efan.

'Ti o Gaerdydd yndyt ti? Mae'n amlwg. Ti rhoi'r *o* yn y lle anghywir, ond mae dy rieni di o bant. Mae'n ffycin amlwg.'

'Ydy e nawr?' holodd Efan gan chwerthin yn ysgafn. Roedd rhywbeth am y boi 'ma'n dechrau ennyn ei chwilfrydedd.

'Ody, mae tinc o Sir Gâr ynddot ti, wedyn mae dy fam di o ochre Llandeilo neu Sanclêr neu rwle . . .'

'*Big difference* rhwng Llandeilo a Sanclêr,' meddai Efan yn sylwgar.

'Sanclêr *it is then*,' meddai Alwyn a gwenu iddo'i hun. Er mawr syndod i Efan, roedd y boi yn llygad ei le.

Dyma Alwyn yn pecial yn uchel a chlywodd Efan sŵn nwy yn cael ei ryddhau o'i fol.

Roedd yr holl beth wedi bod yn *head fuck* i Efan. Er nad oedd ei fam yn rhan o'i fywyd rhagor, ac er ei bod hi wedi ffycan off i Cowes, yn yr Isle of Wight, roedd yn amlwg ei bod hi ymhob man o hyd, hyd yn oed ymhlyg yn y ffordd roedd e'n gofyn cwestiynau i alcoholics galluog.

'So, beth yw'ch hanes chi 'te?' holodd Efan, yn barod i sgwrsio erbyn hyn.

Cododd Alwyn ei ben, a syllu i fyw llygad Efan. Teimlodd Efan ychydig yn anghyfforddus ac archebodd beint arall. Wrth wneud hyn, dyma sylwi nad oedd

Alwyn yn yfed yr un dropyn o'i ddiod ef. Neu o leiaf, doedd e ddim wedi gwneud ers i Efan fod yn ei gwmni.

Chwarddodd Alwyn drwy gadw'i geg ar gau a gwthio aer drwy ei drwyn. Sylwodd Efan ar flew trwyn Alwyn yn chwifio helô wrth i'r aer eu gwthio nhw allan. 'Ie, hanes. Wy'n hoffi'r gair 'na. Achos mae'n rhaid bod ffwc o hanes 'da fi, mod i wedi cyrra'dd fan hyn heddi. Mewn shwt stad.'

'Dim dyna beth o'n i'n feddwl rili,' meddai Efan yn swrth.

'Tmod beth, os weda i wrthot ti fod 'da fi ddim mwy o hanes na ti, a bo' dim anffawd anhygo'l wedi digwydd i fi erio'd,' simsanodd Alwyn, a chael ei wynt ato, 'falle wedyn galli di ddechre deall pa mor bosibl fydde cyrradd fan hyn ryw ddydd.'

Gwenodd Efan. Roedd e'n deall yn union beth oedd gan Alwyn. Weithie, dyw pethau ddim yn gweithio mas fel oeddech chi wedi'i ddychmygu. Nodiodd Efan i'w beint a chau ei lygaid.

'A *by the way*, os 'yt ti'n meddwl mod i wedi dychmygu y bydden i'n ishte fan hyn fel ydw i pan o'n i dy oedran di, *you can go fuck yourself.*'

Daeth y geiriau olaf fel sioc; roedden nhw'n groes graen ar ôl i'r alci praff yma fod yn athronyddu. Pwysodd Efan ar y bar, yn barod i fwrw'i fol. Trodd yn ôl at Alwyn i egluro ei fod e'n cytuno ac i . . . ond mewn chwinciad, a heb sŵn, roedd Alwyn wedi diflannu. Edrychodd Efan o'i amgylch. I'r chwith ac i'r dde. Doedd dim golwg ohono yn unman. Roedd Alwyn wedi mynd.

Llyncodd Efan weddill ei beint cyn ffarwelio ag O'Neills mewn penbleth. Cymro Cymraeg glân gloyw oedd Alwyn, meddyliodd Efan. Cymro'n crwydro Caerdydd, yn union fel roedd e'n crwydro Caerdydd. Cymro glân gloyw heb syniad yn y byd am ystyr hyn i gyd. Cymro ffycd-yp sy'n hoffi peint.

Ond doedd dim amser i athronyddu nawr. Roedd hi wedi troi hanner awr wedi wyth ac roedd atynfa'r gig yn gryfach hyd yn oed na'r syniad o fod yn Kant Cymraeg.

*   *   *

Eisteddodd Crid yng nghefn y tacsi ac Ed yn y sedd flaen. Roedd hi eisoes wedi holi pam fod angen mynd allan mor gynnar. Ateb Ed oedd fod angen osgoi gwneud pethau ar eu hanner. Wrth i'r tacsi wibio i'r Bae, sylwodd Crid fod Ed yn gwenu yn nrych ochr y car. Roedd y gyrrwr wedi cael cyfarwyddiadau i ddod trwy Grangetown er mwyn i Crid gasglu cardigan o Warwick Street ar y ffordd. Ers iddyn nhw orffen gwaith, roedd y ddau wedi bod yn nhŷ Ed yn Sain Ffagan yn yfed gwin gwyn drud.

'Pam ti'n gwenu?'

'Achos bo' ni'n dau'n mynd i ga'l amser *awesome* heno . . .'

Roedd Crid yn casáu y math yma o ddatganiad. Byddai hi ond yn gwybod os oedden nhw wedi cael amser da bore fory ar ôl codi. Teimlai braidd yn anghyfrifol ei bod hi'n mynd allan ar y *piss* ganol wythnos. Yn enwedig o wybod bod Elis, Eiry ac Elen yn siŵr o fod yn cael swper nawr cyn cael eu rhoi yn eu gwlâu am 6. Nos Fawrth oedd hi wedi'r cyfan. Ond naw wfft i hynny, dim ond unwaith rwyt ti ar y blaned 'ma, ac roedd Crid wastad wedi bod eisiau mynd i glwb hoyw i weld sut lefydd oedden nhw. Eisteddodd yn ôl yn y tacsi gan geisio mwynhau ei hun. Mwynhau ei rhyddid newydd, a mwynhau'r teimlad o gyffro oedd yn llifo drwyddi. Hoffai'r syniad o fod mewn clwb lle nad oedd dynion yn pyrfio arnat ti byth a hefyd.

'*We'll need to turn in a minute, drive,*' meddai Ed, wrth iddyn nhw yrru o dan y bont ar hyd Clare Road.

'*Don't worry about it,*' meddai Crid, '*we'll be going straight inside somewhere anyway, won't we?*'

Edrychodd y gŵr tacsi ar Ed am eiliad, yn ansicr ynghylch beth i'w wneud. Doedd Ed ddim yn deall yn union pam fod Crid newydd newid ei meddwl. Roedd hynny'n amlwg ar ei wyneb. Ond gwyddai Crid yn iawn. Doedd hi ddim yn awyddus i fynd yn ôl i'r tŷ heno. Am unwaith, roedd hi am esgus ei bod hi'n byw bywyd gwahanol. Byddai gweld Efan, a gorfod egluro lle roedd hi'n mynd, yn ormod o drafferth. Byddai gwynto arogl y tŷ, ac arogl rhigol y bywyd hwnnw, yn sbwylio'r foment.

Wrth i'r tacsi symud yn araf trwy Grangetown, trwy'r goleuadau a thros y rhwystrau traffig, sylwodd Crid ar dair dynes Fwslemaidd yn cerdded yn hamddenol gyda'u penwisgoedd yn sownd am eu pennau, yn cuddio'u hwynebau. Yna oedodd y tacsi ar bwys y Tesco Metro wrth i hen fenyw Tseineaidd groesi'r ffordd. Cerddai'r hen fenyw'n bwyllog gan edrych yn ôl ar fachgen bach mewn tracwisg oedd yn mynnu cario'i bag siopa. Mam-gu, meddyliodd Crid. Roedd yn olygfa yr hoffech chi dynnu llun ohoni, a'i fframio mewn du a gwyn. Ond doedd Crid ddim yn arbenigo mewn ffotograffiaeth, felly ymlaen â'r tacsi. Dyna roedd hi'n ei hoffi am Grangetown; yr holl gymysgedd lliwgar o bobl mewn un man. Hoffai'r ffaith fod yr awyr yn las heno hefyd. Roedd yr awyr yn wahanol yma o'i gymharu ag unrhyw le arall yng Nghaerdydd, rhywsut, yn rhoi'r teimlad bod y môr yn agos. Roedd hi bron iawn fel petai'r awyr yn ymestyn am byth heno, yn eang ac yn ddisgwylgar. Glesni'r golau yn cynnig rhyddid.

Wedi iddyn nhw gyrraedd y Bae, neidiodd Ed allan o'r tacsi mewn ffordd wironeddol camp. Gwyddai Crid ei fod wedi gwneud cryn ymdrech heno. Ei wallt wedi'i steilio â *gel* a'i grys gwyn yn dynn am ei gorff. Roedd e'n ddyn golygus, meddyliodd Crid.

'Reit 'te,' meddai Ed wrth i'r tacsi yrru i ffwrdd, 'so ni'n mynd i'r bars am sbel, wy wedi trefnu syrpreis.'

Oh, for fuck's sake, meddyliodd Crid, am beth roedd hwn yn sôn? Gwenodd yn betrusgar a marciau cwestiwn yn ei llygaid hi.

'Ni'n mynd i gael bwyd gynta, yn Orient Place.'

Gwenodd Crid. *Chinese*. Chwarae teg iddo. Roedd e'n gwybod mai dyna oedd ei ffefryn hi. Teimlai fel tywysoges. Doedd hi ddim yn cofio'r tro diwethaf i rywun ei thrin hi fel hyn. Gafaelodd Crid ym mraich Ed ac fe gerddon nhw at y bwyty.

Rai oriau'n ddiweddarach, roedd y *saki* wedi treiddio i'w pennau. Eisteddai'r ddau yn y gornel bellaf. Doedd Crid ddim wedi disgwyl mwynhau gymaint, a doedd hi ddim chwaith yn disgwyl teimlo mor feddw am chwarter wedi wyth y nos.

''Na ddigon am Efan,' geiriodd Crid yn dew, 'sdim pwynt siarad am y peth, *he'll never grow up* . . . beth amdanat ti? Oes rhywun yn dy fywyd di nawr?'

Gwenodd Ed gan bwyso'i ên yn ei ddwylo ac yfed rhagor o win. Gwenodd i'w wydryn ac edrych ar Crid.

'O leia *half a dozen, love*.'

Chwarddodd Crid, er ei bod hi'n siomedig ei fod e newydd gadarnhau ei rhagfarnau hi am ddynion hoyw. 'O Ed, fi'n gwbod fi'n *pissed* yn gweud hyn nawr, ond lyfen i weld ti'n setlo lawr. Gyda rhywun neis.'

Llyncodd Ed ei win a syllu heibio i Crid. Roedd hi'n poeni am eiliad ei fod e'n *pissed-off*.

'Fi'n gwbod,' meddai, 'mae *yn* bryd i fi stopio *my wild ways*. A mae 'na rywun yn 'y mywyd i, ond dyw pethe ddim mor syml â hynny.'

'O'n i'n meddwl bod 'na,' meddai Crid gan anfon gwên wresog i gyfeiriad Ed. 'Wel, falle neith popeth weitho mas i chi, a gewch chi fabwysiadu plentyn a phethe!' Byrlymodd Crid yn gyffrous tra oedd hi'n meddwl beth i'w ddweud nesaf. 'Weles i raglen am y peth rywbryd ar Channel Four.'

Gwenodd Ed. Roedd hi'n hen bryd mynd â hon i gwpwl o dafarndai eraill. O ystyried eu bod nhw i fod ar *big bender*, doedd hi ddim hanner digon meddw eto.

*　　　*　　　*

O'r eiliad gyntaf y cyrhaeddodd Efan y ciw ar y ffordd i mewn i JJs, teimlai ei fod wedi gwneud y penderfyniad anghywir. Rhyfedd fel roedd hynny'n digwydd weithiau. Roedd rhes o ferched ifainc yn sefyll yn eiddgar o'i flaen ac yntau'n cawrio uwch eu pennau nhw. Wedi i'r bownser adael pawb i mewn, chwiliodd Efan am Martin. Roedd JJs yn llawn lefelau gwahanol, nid yn annhebyg i Clwb Ifor ond fod yna fwy o oleuadau yno, llai o loriau sdici a llai o bobl ry'ch chi wedi cysgu gyda nhw mewn un adeilad. Roedd ambell un o'r merched oedd yn igam-ogamu o'i amgylch yn ddigon ifanc i fod yn ferch iddo. Chwiliodd am Martin ar Lefel 1, ond heb lwc. Atgyfnerthwyd y teimlad afiach hwnnw o fod ar dy ben dy hun mewn clwb wrth i fflyd o ferched (plant) mewn sgertiau mini redeg at griw o fechgyn. Cyffro mawr wedyn, a *Kerdiff kisses*.

Ymlwybrodd Efan i fyny at Lefel 2, yn benderfynol o fynd at y bar beth bynnag ddigwyddai. A dyna wnaeth e. Doedd dim sôn am Martin, ac felly Guinness fyddai ei unig ffrind am y tro. Roedd gwynt clwb gwag cyn i'r cyrff gyrraedd yn afiach. Rhyw arogl pisho a hen gwrw. Wrth iddo eistedd yno, yn tybio mai lawr llawr fyddai'r gig yn cael ei gynnal, dyma rywun yn ei adnabod.

'*Hey mate, how's it goin?*'

Trodd Efan ei ben yn araf. Cymerodd rai eiliadau iddo adnabod wyneb y bachgen oedd yn sefyll yno. Felly mae hi os wyt ti'n Diwniwr Piano. Mab i pwy yw hwn? Ble weles i ti? Yn Tesco Metro ynteu yn nhŷ rhyw gwsmer . . ? A ie. Rhys, y stiwdant, oedd e. Y boi oedd yn caru gyda Megan y ferch bert, ryw wythnos yn ôl.

'O, haia, ie, ti'n iawn?'

'Ai, *good*,' geiriodd Rhys yn rhy cŵl o lawer. Edrychodd Efan arno. Roedd e mewn jîns llac a'i focsyrs e'n dangos o bob ochr i'w gorff eiddil. Roedd crys brown amdano, a hwnnw'n dangos llawer gormod o'i frest foel, esgyrnog. 'Ie, fi'n edrych ymlaen at y gig, bydd e'n *ace*.'

'Ie, bydd, gobeithio.' Teimlodd Efan reidrwydd i rhygnu ymlaen. 'Mae fy ffrind i'n recordio'r gig a stwff, ar gyfer Sesiwn Hwyr Radio Cymru a fi 'di dod i gadw cwmni iddo fe.'

'Cŵl,' meddai Rhys, yn amlwg heb wrando ar yr un gair. Roedd e'n edrych dros ysgwydd Efan, yn chwilio am rywun arall. Doedd gan Efan ddim amynedd gyda phobl oedd yn gwneud hyn, ac felly dyma fe'n holi, 'Sori, ti'n chwilio am rywun?'

'Ym, ie, Megan. Cariad fi?' O, cariad nawr ife, meddyliodd Efan. Digon teg. 'Ti 'di gweld hi? Nath hi weud bo' hi'n meddwl falle bo' ti'n dod i'r gig.'

What? Nath hi weud falle mod i'n dod i'r gig? Pam bydde hi'n meddwl y fath beth? Pam bydde hi hyd yn oed yn *meddwl* amdana i, meddyliodd Efan. Roedd yr holl beth yn ymddangos braidd yn rhyfedd.

'Na, sori,' meddai Efan, 'sa i 'di gweld hi.'

'Ai, wel, fi'n mynd i chwilio hi,' cyhoeddodd Rhys, gan godi'i law. '*Laters.*'

Ie, meddyliodd Efan. *Laters*, y twat gwirion. A chwilio *amdani hi* sy'n gywir, y twat, nid 'chwilio hi'. Arhosodd yno am ychydig yn yfed ei beint. Edrychodd o'i amgylch a gweld wyneb cyfarwydd o'i orffennol. Wyneb oedd yn cynrychioli hunllef ei flynyddoedd yn dysgu yn Ysgol Glantaf. Disgybl oedd y boi ar y pryd, ond bellach roedd e'n amlwg yn gweithio yn JJs. Geraint Walters oedd ei enw. Fe oedd un o brif resymau Efan dros adael gyrfa ym myd addysg. Pwrsyn mwya'r ganrif a ffŵl hefyd. Ond fe lwyddodd e i hala Efan off y rêls i'r fath raddau nes iddo bron â bwrw'r arddegyn drewllyd i'r llawr yn prom y chweched. Gwelodd Geraint e o gornel ei lygad a gwenodd yn slei ar Efan, siŵr o fod wrth i atgofion yr ystafell ddosbarth lifo 'nôl. Llanwyd Efan â chywilydd. Pam wnaeth e adael dysgu? Pam wnaeth e hyd yn oed ystyried dysgu yn y lle cyntaf? Pam ei fod e'n gymaint o *loser*? Wedi methu sticio at ddim drwy gydol ei fywyd. O, wy'n gweld, meddyliodd Efan, noson fel hyn yw hi'n mynd i fod, ife ymennydd bach? *Beat*

Efan up for fun? Make him feel like shit? Wel, alla i ymdopi 'da fe. *Bring it on,* geiriodd Efan yn dawel wrtho'i hunan.

Ar ôl yfed ei beint o Guinness, aeth i Lefel 3 ar ei daith i chwilio am Martin. Wrth iddo fynd i mewn i'r ystafell, fe welodd ei ffrind. Roedd e'n brysur yn cyfweld â bachgen hirwallt oedd yn amlwg ar *cocaine*. Wrth ei ymyl, yn swatio dan ei gesail, roedd Cadi merch Gerwyn. Wel, ffyc mi, yr hipi hirwallt oedd boi lwcus Pidyn Pwy, meddyliodd Efan. Sylwodd yn sydyn ei fod e'n dechrau dod i nabod y bobl hyn. Y bobl ifanc hyn. *Cringe*, meddyliodd. Paid â chymryd diddordeb. Cododd Martin ei law ar Efan heb ddweud gair.

Roedd y boi o Pidyn Pwy yn dal i siarad yn aneglur i mewn i'r meic. Bechod dros Martin, roedd e'n foi ocê yn y bôn; trueni bod y bois i gyd yn ei gasáu e. Roedd e'n dueddol o fwydro am oriau ac oriau, ac yna byddai'n mwydro am oriau'n rhagor. Ac roedd problem glendid personol ganddo hefyd. Nid chwys y ceseiliau ond anadl gawslyd, afiach. Fel anadl rhywun sydd newydd fwyta Big Mac wedi llwydo. *Shit,* meddyliodd Efan wrth feddwl am fyrgyr, dwi'n dal heb gael swper. Wrth wylio'i gyfaill yn cyfweld, cafodd Efan yr argraff fod Martin yn falch o allu dangos bod ganddo swydd bwysig, ac y byddai'n gynhyrchydd rhyw ddydd, efallai . . .

Wedi'r cyfweliad, daeth Martin draw ato'n syth.

'Hei, hei! Efan boi, shwt wyt ti?'

'Iawn, ydw,' meddai Efan yn hanner pan gan fwrw'i law ar ei ysgwydd.

Gwenodd Martin yn ofalus, yn ei ffordd *manic* ei hunan. 'Ie, fi'n gwneud cyfweliadau ar gyfer rhaglen newydd Mared Gwylan. Gewn ni beint wedyn?'

'*Definite,*' meddai Efan gan godi'i aeliau a nodio'i ben.

'So, shwt mae Crid? Sa i wedi'i gweld hi ers amser hir.'

'Ie,' meddai Efan, 'mae hi'n iawn. Cadw fynd, t'mod. Bydd raid i ti ddod rownd rywbryd . . .'

Roedd Efan yn gwybod yn iawn na fyddai hynny'n digwydd, ond roedd yna ryw ysfa ynddo i edrych ar ôl ei ffrind. Doedd e ddim mor wael â hynny, doedd bosib?

'Ie, syniad da. Ceridwen yn enw diddorol, t'wel, mae'n tarddu'n wreiddiol o . . .'

Take it back, meddyliodd Efan. Ar ôl sbel daeth gwawr biws dros wyneb Martin.

'Hei, fi jyst ishe dy wornio di am rywbeth 'fyd. Achos falle bydd raid i fi fynd mewn eiliad, t'wel.'

'Wornio fi?' holodd Efan, yn llawn chwilfrydedd. Rhyw *hot gossip* neu falle ryw sôn am *comet* sydd ar fin dod i'n lladd ni i gyd? Ond cyn i Martin gael cyfle i ddweud dim, gwelodd Efan ferch dros ysgwydd chwith ei ffrind. Yna, dros ei ysgwydd dde, gwelodd ferch arall. Doedd e ddim yn siŵr a ddylai gachu'i bants neu wenu. Ar un llaw roedd Megan, newydd ddod o'r tai bach gyda'i ffrind. Roedd hi'n edrych yn berffaith, yn ddeunaw ac yn bur. A thros yr ysgwydd arall? Olwen.

'Pam *ffyc* 'nest ti ddim gweud tho fi bo' *hi* 'ma?' holodd Efan o dan ei anadl.

'Sori, boi, 'na beth o'n i ar fin gweud. Mae hi'n gweithio ar y rhaglen 'da fi.'

'*What?*' siaradodd Efan drwy ei ddannedd. 'Ers pryd mae *hi* 'di dechre gweithio yn y Bîb? O'n i'n meddwl 'i bod hi yn y Gogledd, yn Cwmni Da.'

'*Odd* hi, ond mae hi 'ma am y *duration* nawr, mae'n debyg.'

Teimlodd Efan ei fol yn corddi. Dylai fod wedi

gwrando ar ei reddf, pan deimlodd e nad oedd dod i mewn i JJs yn syniad da. Fel mellten, daeth Olwen tuag ato. Rhuthrodd Martin o'r ffordd yn y dull mwyaf amlwg a dramatig posibl. Ffyc, meddyliodd Efan. Bydd raid i fi ddweud rywbeth, bydd raid i fi . . .

'Haia,' meddai.

'*Long time no see*. Ti'n iawn?' Ceisiodd hi beidio ag edrych i'w lygaid.

'Ydw, iawn. Ti?' Sylwodd Efan ar Megan yn pasio heibio. Gwenodd hi'n gynnil arno a cheisiodd Efan godi'i law. Ond digwyddodd hyn yn drwsgwl, ac ni ddaliodd y naill na'r llall gip ar lygaid ei gilydd.

'Ydw, iawn. Ti 'ma ar gyfer y gig, wyt?' holodd Olwen yn llygaid i gyd erbyn hyn. Ffyc, mae hi'n amlwg yn dal mewn cariad 'da fi, meddyliodd Efan. Ond digwyddodd hyn i gyd flynyddoedd yn ôl, ac i bob pwrpas roedd hi wedi troi'n *psycho-bitch* ers hynny. Er, roedd hi *wastad* yn *psycho-bitch* yn y bôn, cofiodd Efan, just bod *tits* neis 'da hi.

Edrychodd Efan ar y llawr a'i gwneud yn hollol glir nad oedd ganddo ddiddordeb ynddi.

'K, fi'n gorfod mynd,' meddai hi, 'mae Martin yn aros i fi brynu *drink* iddo fe. Fi'n meddwl aros o gwmpas am sbel, er bo' fe'n *mynnu* mynd 'nôl. Falle wela i di wedyn?' meddai hi.

Dim os alla i help, meddyliodd Efan. Wy mewn gig gydag *ex-girlfriend* sydd off ei phen, Martin anadl-y-ddraig, a merched deunaw oed *fuckable* sy'n hollol *out-of-bounds* a sydd heb unrhyw ddiddordeb mewn tiwniwr piano beth bynnag.

'Cŵl,' meddai Efan. Ond doedd dim byd yn cŵl. Doedd dim byd *oll* yn cŵl.

Llwybreiddiodd Efan o Lefel 3 gan deimlo llygaid Olwen yn llosgi yng nghefn ei ben. Llifodd atgofion o'r ddau gyda'i gilydd yn ôl i'w feddwl fel pecyn o hoelion miniog at fagned. Llifodd teimladau o fod yn gi yn ôl hefyd, o fod yn fastard llwyr. Oedd, roedd Efan ac Olwen wedi bod yn gariadon am ddwy flynedd yn y coleg, ond aeth pethau'n ffradach wedi hynny. Fe benderfynodd Efan orffen y berthynas oherwydd bod y rhyw yn *shit*. Wrth gwrs, fydde fe ddim yn dweud hynny wrth yr un enaid byw, ond dyna oedd y gwir. Unwaith iddi roi ei *blow-job* cyntaf iddo roedd ganddo deimlad na fyddai e'n ei phriodi hi. Roedd e jyst yn gwybod. Roedd hi'n ddannedd i gyd, ac roedd Efan wedi dysgu nad oedd modd dysgu rhai pobl i newid eu ffyrdd. Efallai y byddai rhai'n ei feirniadu am fod yn fas, am wybod na fyddai'n fodlon priodi rhywun ar sail safon y *blow-jobs*, ond gwyddai pa mor bwysig oedd hynny iddo fe. Wedi'r cyfan, oeddech chi am fyw eich holl fywyd priodasol mewn ofn llwyr y byddai'ch coc chi'n cael ei gnoi bant? Go brin. Er, serch hynny, fe barodd y berthynas am ddwy flynedd gron. Wel, dwy flynedd namyn mis. Ac ar wahân i'r ffaith nad oedden nhw'n *compatible* yn rhywiol, doedd Efan ddim yn ddigon da iddi – yn ei farn e. Nid ar y pryd beth bynnag. Roedd e'n *fucked-up*, a'r bois yn fwy pwysig iddo na dim. Druan ag Olwen, meddyliodd wedyn, wrth ffeindio cwtsh bach cyfforddus iddo'i hun yn ôl ar Lefel 1.

Roedd y gig wedi dechrau gyda rhyw foi â barf hir (na allai fod yn hŷn na deunaw) yn chwarae gitâr ar y llwyfan. Ie, druan ag Olwen. Roedd hi wedi gwneud ei gorau glas, ond doedd y fflach ddim yno. A'r peth callaf fyddai fod Efan wedi gorffen gyda hi yn y fan a'r lle, rhyw fis wedi iddyn nhw ddechre copio. Ond na, nid dyna wnaeth e. Cysgu gyda rhywun arall wnaeth e. Cysgu gyda neb o bwys, neb roedd e'n ei nabod, ond rhywun arall. Ffeindio unrhyw reswm i allu gorffen gyda hi, a'i ffycio hi lan yn llwyr yn y broses. Dechreuodd Efan deimlo'n ofnadwy. Roedd gweld Olwen wedi ei atgoffa nad oedd e'n foi ffyddlon na theyrngar. A dweud y gwir, roedd e'n *fuckwit*. Oedd, roedd Crid a fe wedi para ers ache, ac oedd, roedd e wedi bod yn ffyddlon iddi hi. Ond roedd e'n gwybod yn iawn pam ei fod e yma heno, er enghraifft. Roedd e yma am ei fod e'n ffansïo Megan. Merch ddeunaw oed. Roedd rhywbeth yn anghywir am hynny. Sylfaenol anghywir.

Wrth iddo barhau i deimlo'n euog, aeth i archebu dau beint o Guinness ac eisteddodd yn y cefn gan yfed o'r ddau wydryn am yn ail. Bob yn sip, cofiodd am y pethau gorffwyll roedd Olwen *Off-her-rocker* (fel roedd Pont yn ei galw hi) wedi'u gwneud ar ôl iddo orffen gyda hi. Dod ar ei ôl mewn car ryw noson yn *hammered* a mynnu siarad gydag e. Rhwygo hen grys-t oddi ar ei gorff a'i losgi (yn ôl y sôn beth bynnag). Ffonio rownd y rîl (ffaith). Ffonio'i dad unwaith! Cysgu gyda Jiv er mwyn trio gwneud i Efan deimlo'n genfigennus (God, mae Jiv yn gymaint o *prick*). Ond roedd hyn i gyd wedi digwydd sbel yn ôl, pan oedden nhw ond newydd ddechrau dod yn oedolion. Siawns y byddai hi wedi newid erbyn hyn . . . A'i fai e oedd ei bod hi wedi mynd yn wallgof beth bynnag. Ei fai e oedd y cyfan.

Cododd ei ffôn a sylwi nad oedd e wedi derbyn neges gan neb. Wrth edrych ar y teclyn addawodd Efan iddo'i hun y byddai'n ffonio ei dad fory. Roedd angen iddyn nhw drefnu cyfarfod. Yna, am ryw reswm, dechreuodd gyfansoddi neges destun. Estynnodd am ei feiro er mwyn cael help gyda'r llythrennau styfnig.

'Gobeithio bod popeth yn iawn. Digon o straeon gyda fi i chi am y Cymru Gymraeg Gyfoes! Pob hwyl tan fory.'

Anfonodd y neges yn syth at Gwen a synnu ei fod wedi meddwl amdani. Ystyriodd wedyn y dylai anfon neges at Crid, ond doedd e ddim yn gallu meddwl am unrhyw beth i'w ddweud.

*   *   *

Roedd Crid yn chwerthin yn galed wrth i ffrindiau Ed ei hannog hi i yfed Daiquiri ar ei ben.

'You're supposed to enjoy cocktails, sip them, not down them,' protestiodd hi.

Gwenodd ffrind Ed arni. Bryn oedd ei enw. Boi golygus arall. Roedd Bryn yn gweithio yn adran IT y Cynulliad. Crys-t tyn. Boi o'r Beddau. *Babe*.

'Aye,' meddai Bryn, *'but you're supposed to be on a bender, so down it!'*

Gwenodd Crid. *Bender?* Roedd hi wedi'i phlygu bob ffordd yn barod. Doedd hi ddim yn cofio teimlo mor feddw ers, wel, ers amser hir iawn, ond roedd hi'n mwynhau. Dechreuodd pethau gymylu am ryw awr, a ffrindiau Ed yn dod o bob cyfeiriad. Oedd e wedi cysgu gyda nhw, tybed? Yn y gorffennol. Fe? Neu fe? Roedd *e'n* olygus. Chwarddodd yn fewnol wrth i'r holl ddynion golygus yma siarad gyda hi. Yng nghwmni dynion strêt, fe fyddai hi wedi perswadio'i hun bod y dynion hyn i gyd yn fflyrtio gyda hi.

Roedd Ed wrth ei fodd yng nghwmni'r dynion i gyd, a gallai Crid weld fod ei grŵp o ffrindiau'n rhai agos. Er yr holl syniad fod dynion ymhob man, dim ond pedwar oedd wedi dod i'w cyfarfod nhw mewn gwirionedd. Leslie a Jack, oedd wedi bod yn gariadon 'erioed' yn ôl Ed. A Bryn. Felly ai Bryn oedd yr un roedd Ed yn dwlu arno?

'Cofia,' meddai Ed wrth dynnu Crid at y bar, 'wy 'di ca'l Jack o leia ddwywaith.'

Winciodd ar Crid ac edrychodd hi'n gywilyddus arno.

'Paid poeni myn, mae Les yn gwbod. Mae Les yn hapus os yw e'n ffwcio gyda phobl mae e'n nabod. O leia wedyn mae e'n gwybod shwt beth yw'r gystadleuaeth.'

Roedd heno'n mynd i fod yn agoriad llygad, meddyliodd hi.

Erbyn hanner awr wedi deg roedd Crid yn feddw gaib, ond yn mwynhau. Er bod Les a Jack yn dal i sefyllian o gwmpas y lle, Bryn, Crid ac Ed oedd wrth y bwrdd cornel yn Bar Ritsas yn chwarae gêmau yfed.

'*Your go,*' meddai Crid wrth Bryn.

'Dim tro fi yw e,' meddai Bryn, '*it's his.*'

'O,' meddai Crid, wedi cael ychydig o sioc, 'ti'n siarad Cymraeg!'

'*Aye, sometimes, but I don't use it much.*'

Gwenodd Crid a sipian ar ei mojito. Doedd hi ddim am ddweud gair, ond roedd hi'n ei gweld yn anodd pan oedd tri Chymro mas gyda'i gilydd ac un yn dewis peidio siarad Cymraeg. Nid ei bod hi'n Nashi chwaith, ond roedd e'n deimlad od. Hwpodd y gwelltyn du rhwng ei gwefusau, ei wthio i'r gymysgedd a sugno.

'*I need the loo,*' meddai Bryn gan wenu a gwthio'i hun heibio i Ed.

'Ti'n joio te?' holodd Ed wrth i'r ddau gael eiliad ar eu pennau'u hunain.

'Ydw, mae'n rial laff. Diolch ti.' Gwenodd Crid fel giât. Gwên siâp banana. Gwên feddw.

Yna, fel mellten, saethodd cwestiwn o ben Ed, 'Ife Efan sy'n *impotent*, 'te?'

'Ym,' mwmialodd Crid yn ansicr, 'ym, sa i'n gwbod, pam ti'n . . ?'

Closiodd Ed ati. 'Ti bownd o fod wedi meddwl am y peth . . . mae e'n *big deal* i ti, nagyw e? Ti rili moyn plant.'

Crychodd Crid ei bochau. 'Ym, do, wel, ie, ond sa i'n gwbod, falle taw fi sy ar fai. Falle taw fi sy'n methu . . . *you know. You never know.*'

Sylwodd Crid fod Bryn ar ei ffordd yn ôl o'r tŷ bach. Diolch i'r drefn, meddyliodd hi. Roedd hi wedi dod allan heno er mwyn osgoi'r math yma o drafodaeth. Dyma oedd y sgwrs yn ei phen hi bob dydd, fel tôn ffycin gron. Y peth ola roedd hi eisiau ei wneud oedd meddwl am y peth eto.

Sibrydodd Ed yn frysiog wrth i Bryn ddod 'nôl, 'Wel, os ti byth yn styc, ti'n gwbod bydden i'n hapus i roi help llaw i ti.'

Rhewodd Crid yn ei hunfan. Gwyddai fod Ed yn meddwl pob gair, ond roedd e wedi dweud hynny mor frysiog a doedd dim cyfle i'w drafod ymhellach oherwydd bod Bryn ar fin eistedd wrth y bwrdd. Roedd e wedi dweud yr holl beth mor ffwrdd-â-hi, fel petai sberm yn tyfu ar goed . . . Chwyrlïodd syniadau yn ei phen. Llanwyd hi â braw a chyffro ar yr un pryd. Ceisiodd beidio â meddwl am y peth. Ceisiodd fynd yn ôl i'w chyflwr meddwol ac anghofus. Gei di ddelio 'da hyn fory, meddyliodd Crid.

'*Right then, you two,*' meddai Bryn, '*I've had an idea for a really good game . . .*' Eisteddodd Bryn ar eu pennau bron iawn, gan roi winc i Ed a chusan ar foch Crid.

*   *   *

Buan iawn y diflannodd awr arall, a bellach roedd hi'n ddeg o'r gloch a Pidyn Pwy ar fin perfformio. Byddai Efan wedi'i throi hi am adref yr eiliad honno heblaw ei fod wedi sylwi ar Megan yn y pellter. Doedd e ddim am siarad gyda hi. Roedd e wedi bwlio'i hun ddigon er mwyn sicrhau na fyddai'n mynd allan o'i ffordd i siarad gyda hi. Ond yn rhyfedd ddigon, wrth iddo lymeitian ei ddiod, gwelodd Efan hi'n dod tuag ato – yn gwenu arno wrth iddi wau ei ffordd o amgylch sawl grŵp swnllyd. Roedd y gerddoriaeth yn aflafar, a prin y gallai glywed ei hun yn meddwl. Mae'n hi'n dod draw. Mae Megan yn dod draw ata i, meddyliodd Efan.

'Ga i eistedd?'

'Iawn, iawn,' geiriodd Efan. God, pam fod yn rhaid iddi ddod draw ac yntau wedi meddwi? Gwenodd arno eto. Yn amlwg, doedd ganddi ddim syniad faint roedd hi'n ei ddenu, neu fyddai hi byth bythoedd wedi dod draw i siarad.

'Ti'n joio?' geiriodd hi. Doedd dim pwynt gweiddi. Trio deall gwefusau ei gilydd oedd yr unig obaith.

'Ydw, ydw.'

'Mae'n le cŵl am gigs wy'n meddwl,' meddai Megan ond ddeallodd Efan ddim.

'Sori,' geiriodd gan bwyntio'n ôl ac ymlaen rhwng y llwyfan a'i glustiau, 'sa i'n gallu clywed.'

Chwarddodd Megan a chlosio at Efan. Siaradodd â'i thalcen yn ei wallt. Pwysodd ymlaen. 'Lle cŵl am gigs, wedes i.' Cosodd ei gwefusau ei glust.

'Ai,' meddai fe, gan nodio, ond heb bwyso tuag ati.

Daeth cân aflafar Pidyn Pwy i ben a dechreuodd y prif ganwr ganu cân acwstig gyda'i gitâr. Yn sydyn, felly, cafwyd cyfle i siarad.

'O'n i'n meddwl falle byddet ti'n dod heno.'

'O?' holodd Efan, 'a pam o't ti'n meddwl 'na?'

'Sa i'n gwbod,' meddai hi, 'ti'n gwbod weithie, ti'n cwrdd â rhywun a ti'n gwbod fod nhw'n mynd i fod *about*?'

Gwenodd Efan; roedd e'n awyddus i feddwl am gorcyr o ateb da i'w drosglwyddo'n ôl. Daliodd llygaid y ddau, ond wrth i Efan agor ei geg teimlodd bâr o ddwylo ar ei ysgwyddau. Dwylo dyn.

'Wehei! Peint o beth fydd hi, Sgweiar Balch y Llan?'

Trodd Efan ac edrych y tu ôl iddo. Martin oedd yno. Amseru gwych, diolch ti, meddyliodd Efan.

'Guinness 'te, plîs boi, diolch ti. O'n i'n meddwl bo' ti'n gorfod gadel ar ôl gwneud yr *interviews*.'

'Wel, o'n i'n meddwl falle arhosen i am un bach slei 'da ti,' meddai Martin.

Gwenodd Martin ar Megan a gwenodd hithau'n ôl arno'n ddryslyd, cyn iddo ddiflannu at y bar.

'Pwy yw *e*?' holodd Megan gan chwerthin. 'Sgweiar Balch y Llan. *What?*'

Gwenodd Efan yn ffug. 'Ie, ffrind i fi o'r coleg. Mae'n foi iawn unwaith ti'n dod i nabod e.'

Ar hynny ymddangosodd Olwen o'r niwl ac eistedd ar yr hanner cylch o sedd hir yng nghwtsh bach Efan.

'Iawn, Ef?' gwenodd hithau gan fflyrtio gyda'i llygaid. Symudodd yn nes ato ond cadwodd Efan ei lygaid ar Megan. Daeth Olwen yn agosach, gan symud ei phen-ôl nes ei bod hi wrth ei ymyl. Rhoddodd law ar ei fraich. Cochodd Megan, fel petai hi'n teimlo'n rhy ifanc i fod yn eistedd gyda'r pâr.

'Ok, wel fi'n mynd 'nôl at Rhys nawr.' Cododd Megan a gwenu cyn i Efan gael cyfle i egluro'r sefyllfa, sef nad oedd Olwen ac yntau'n gariadon. Ond roedd hi wedi mynd. Ac roedd e'n styc gydag Olwen.

Aeth pethau'n iawn am sbel. Rhyw fân siarad, ac ambell jôc. Martin yn mwydro'r ddau ac Efan yn dal i chwilio am Megan gyda'i lygaid. Yna, ar ôl pedwar *double vodka*, daeth yr hen Olwen i'r wyneb; roedd Efan yn gwybod yn iawn y byddai hynny'n digwydd yn hwyr neu'n hwyrach. Yr hen Olwen *off-her-rocker*. Erbyn hyn, roedd Martin yn mwydro'r boi wrth y bar ac Efan yn *stranded* gyda'i *crazy ex*. Ffycin grêt, meddyliodd, gan eirio gyda'i wefusau er na chlywodd neb. Ffycin grêt.

*   *   *

Heb ddeall yn iawn sut roedd hi wedi cyrraedd yno, eisteddai Crid ar soffa chwaethus yng Nghlwb True. Roedden nhw wedi cyrraedd yma'n eithaf cynnar o styried taw clwb oedd y lle. Ac am ryw reswm, ar yr eiliad hon, roedd hi ar ei phen ei hun. Gallai weld Ed yn dawnsio gyda dyn gerllaw, a Les a Jack yn prynu diodydd wrth y bar. Yna, yn sydyn, gwelodd Bryn yn dod o nunlle gyda diod iddi.

'*JD and lemonade, tha' alright?*'

Gwenodd Crid ei diolch.

'*You alright? You look far away.*'

'*No, I'm fine,*' meddai Crid gan wenu a theimlo'n chwithig nad oedd hi'n ateb Bryn yn Gymraeg. Wedi'r cyfan, fe fyddai wedi'i deall hi. Gwyddai y dylai hi ddawnsio a gwneud mwy o ymdrech. Bob yn hyn a hyn, gallai weld Ed yn troi oddi wrth y gŵr golygus i'w chyfeiriad hi gan eirio, 'ti'n ok?' wrthi. Ei dyletswydd hi oedd nodio'i phen gan ddynodi, 'dwi'n iawn'.

Buan iawn y llanwodd y lle, a hithau ond yn nos Fawrth. Synnai Crid hefyd at ba mor lân oedd y lle. Roedd yna awyrgylch llawer brafiach yma nag mewn clwb nos arferol. Llai o ddynion treisgar a mwy o *class*, meddyliodd. Roedd hi wedi hanner disgwyl gweld dynion yn boncio'i gilydd ar y grisiau ar y ffordd i mewn. Ond y gwir amdani oedd bod hwn yn lle brafiach na chlwb nos i bobl strêt.

Wrth droi ei golygon o'r llawr dawnsio, sylwodd fod Bryn wedi diflannu. I ble'r aeth e nawr? meddyliodd yn ddiamynedd. Roedd y dynion hyn fel c'nonod. Eisteddodd yno'n dawel gan syllu ar bawb. Doedd dim yn well na eistedd a gwylio pobl weithiau. A beth arall oedd hi'n mynd i'w wneud tra bod pawb arall wedi bygran off? Yn llythrennol. Hoeliodd ei llygaid ar bâr oedd yn eistedd gyferbyn â hi. Roedd wyneb un dyn yn y golwg a chefn y llall tuag ati. Rhedai'r dyn heb wyneb ei law ar hyd wyneb y llall. Roedden nhw'n amlwg yn hoff iawn o'i gilydd. Y naill yn pwyso tuag at y llall a'r dwyster i'w deimlo. Gallai Crid deimlo'r nwyd oedd rhyngddyn nhw. Nid rhyw deimladau rhywiol *cheap thrill*, ond mwy o lawer na hynny. Teimlodd bang am eiliad. Pang o gariad tuag at Efan. Rhywbeth nad oedd hi wedi'i deimlo ers amser hir iawn, mewn gwirionedd. Roedd angen iddi hi ac Ef fod yn debycach i'r dynion draw fancw. Roedd golwg mor gariadus arnyn nhw. Cododd Crid ei ffôn, a cheisio byseddu neges destun i Efan yn ei meddwdod. Ac ar ôl sbel o deipio llafurus yn y golau gwan, dyma'i hanfon hi.

Rhoddodd ei ffôn i lawr eto a pharhau i fusnesa ar nwyd y pâr gyferbyn. Roedd e'n heintus! Sylwodd y dyn oedd a'i gefn at y wal fod Crid yn ei wylio, ac edrychai'n go flin. Gostyngodd hi ei llygaid mewn embaras. Yfodd ragor o'i diod. Wrth iddi wneud, cododd ei llygaid atyn nhw eto. Yn ofalus. Roedd Crid yn un wael am wneud hyn. Am nad oedd hi'n cael edrych arnyn nhw, roedd hi hyd yn oed yn fwy awyddus i wneud. Wrth iddi godi'i llygaid, a'i phen yn troi rhyw fymryn gyda'r holl alcohol oedd yn ei chorff, trodd y llall i weld am bwy roedd ei gariad yn cwyno. Wrth weld yr wyneb cyfarwydd yn syllu arni, roedd Crid yn siŵr taw'r alcohol oedd yn chwarae triciau cas ar ei meddwl.

*   *   *

'Ond pam 'nest ti'i neud e? 'Na beth o'n i byth yn deall.'

Edrychai Efan i bob man ond i fyw llygaid Olwen.

'Ti ddim yn meindio bo' fi'n codi'r peth, wyt ti? Fi'n rili sori. Fi'n sori. Fi'n *twat*.'

'Na, mae'n iawn. Blydi hel.' Pam bod yn gymaint o gachgi? Pam na fydde fe'n dweud, *Fuck off, you crazy loon*, roedd hynny bum mlynedd yn ôl, a dwi'n *practically* briod nawr!

Ar hynny, gwichiodd y ffôn. Roedd hi'n hwyr. *No*

way mai Gwen fyddai 'na. Edrychodd i lawr ar y sgrin gan anwybyddu mwydro Olwen oedd yn chwifio'i dwylo yn ei wyneb erbyn hyn. Roedd tair neges yno, er mawr syndod iddo. Doedd e byth yn derbyn amlen gyda'r rhif tri yn fflachio. Teimlai'n falch ar y naill law, ond ar y llaw arall teimlai fel petai'n cael ei haslo.

Neges 1 – Gwen – Diolh-ichi-efan x
Neges 2 – Crid – Fi'n caru ti ti'n gwcod x
Neges 3 – 07817 349 575 – Ni angen ca'l chat. A

'*Ever popular* fi'n gweld,' meddai Olwen gan wenu'n chwerw. Symudodd ei gwallt llawn chwys o'i hwyneb a syllu ar y bwrdd fel petai hwnnw'n siarad gyda hi.

Edrychodd Efan arni. Roedd cymaint o bethau'n mynd trwy'i ben ar yr un pryd. Pam bod Gwen wedi rhoi 'x'? A pham bod Crid wedi dewis anfon neges mor slopi? Doedd hi ddim yn gwneud y math yma o beth yn aml. Ac ar ben hyn, roedd rhif diarth wedi fflachio ar ei sgrin . . . Sylweddolodd pwy oedd yno. Anwen. Rhif Y Fawd oedd e. Rhif Y Fawd. Rhif y ffycin Fawd. Mae hi eisiau siarad. Doedd ganddo mo'r dewis o ddileu'r atgof o'i ben fel y tueddai i wneud gyda chymaint o bethau eraill. Diffoddodd ei ffôn a'i roi ar y bwrdd. Trodd ei ben a chwilio am Martin wrth y bar. Roedd e'n dal yno, a'r dyn wrth y bar yn ymddangos fel petai'n mwynhau. Gwell fyddai peidio â'i styrbio, felly. M.O.M.Y.Ff.G. nawr oedd yr unig opsiwn. Sythodd ei gefn yn erbyn y gadair a dechrau yfed diferion olaf ei ddiod. Edrychodd ar Olwen. Roedd ei chorff hi'n grwm erbyn hyn, ar ôl rhyw chwe chan mil o *vodkas* yn ormod. O'r hyn a gofiai Efan, roedd Olwen yn mynd yn hollol boncyrs ar ôl *vodka*.

Doedd hynny ddim wedi digwydd y tro hwn, nid i'r un graddau o leiaf. Teimlai drueni mawr drosti o'i gweld hi fel hyn. Doedd hi ddim yn ferch gas, roedd hi jyst yn nyts. Dechreuodd godi o'r gadair ond daeth llaw fel crafanc o rywle a gafael ynddo.

'So ti'n ca'l mynd. So ti'n ca'l. So ti'n deall faint o uffern mae hyn i gyd 'di bod i fi. Mae dynion yn gallu symud ymla'n gymaint yn gynt na menwod.'

O diar, meddyliodd Efan, yr hen fyrbal daiarîa arferol. Falch o weld nad yw rhai pethau byth yn newid. Eisteddodd Efan eto.

'A tishe gwbod beth sy'n fy ypsetio i'n fwy na dim?'

Dwi'n siŵr nad nawr yw'r amser i ateb, 'Nadw, *fuck off, you freak'*, meddyliodd Efan.

'Sa i'n gwbod os oes pwynt mynd dros hyn i gyd,' meddai'n dawel. Roedd e wedi cael digon, ond gallai weld y cyflwr oedd arni hefyd.

'Ti ddim yn teimlo'r angen i weud gair am y peth. Ond wy'n dal i ddod dros popeth, *you know?* Wy 'di torri fy hunan achos ti. 'Di bod yn rili *low.*'

Edrychodd Efan arni. *No way* oedd hynny'n wir. Mae'n gwneud hyn er mwyn cael sylw, meddyliodd. Roedd e eisiau gofyn iddi ddangos y creithiau ar ei breichiau, ond wnaeth e ddim meiddio.

'Fi'n sori, Olwen, 'na i gyd alla i weud.'

Cododd Efan a gadael Olwen fel sach o datws yn y sedd hir hanner cylch. Teimlai'n real bastard yn ei gadael hi, ond nid ei le fe oedd ei gwarchod. A byddai hi'n siŵr o gamddehongli ei garedigrwydd fel cariad; mae merched yn gwneud hynny gyda dynion o hyd. Aeth at y bar a sibrwd yng nghlust Martin ei fod e'n gadael.

'A gyda llaw, mae'r aelod newydd o staff 'na sy 'da ti'n ca'l k.o. draw fanna.' Pwyntiodd at Olwen a'i heglu hi.

Cerddodd Efan drwy goridorau JJs heb feddwl am unrhyw beth heblaw ei wely. Er ei fod e'n gaib, ac yn ysu am gael ffag (hen arfer gwael pan oedd e'n *hammered*), roedd e wedi ei sobri gan lawer o bethau heno. Wrth sleifio drwy'r coridorau at y drws ffrynt, clywodd rywun yn gweiddi arno.

'Efan ow!' Edrychodd yn ei ôl a gweld Megan. *No fuckin' way*. Paid â gwneud dim, gad hi. Cer. Glou. Mae hi'n *pissed*. Cer.

'Nos da, Megan, wela i di o gwmpas.' Gwenodd a chodi'i law arni. Ond wrth gwrs, pe bai Efan wedi meddwl am hyn am eiliad fach, byddai wedi cofio bod merched yn mynd yn nyts pan nad yw dynion yn rhoi'r sylw dyledus iddyn nhw.

'Paid mynd, aros eiliad, sa i 'di ca'l *chance* i weud "hwyl".'

'Cŵl,' meddai Efan gan wenu. Daeth Megan ato a nodiodd Efan ei ben i'w chyfarch.

'Alla i gerdded gyda ti am eiliad?'

'Ym, ie, iawn.' Roedd fflach Efan wedi diflannu a realiti bywyd y negeseuon testun wedi'i droi'n ôl yn foi oedd bron yn dri deg mlwydd oed.

Cerddodd y ddau am ychydig, a'r nos yn cnoi o oerfel oherwydd bod yr awyr yn glir. Edrychodd Efan arni; roedd hi'n brydferth iawn.

'Fi'n gwbod fi'n *pissed*,' meddai Megan, gan dynnu cudyn o'i gwallt a'i wthio y tu ôl i'w chlust, 'ond fi'n *kind of* lico ti.'

Get in there, meddyliodd Efan. *Get in there*! Ceisiodd

danio'i reddf ddynol, ei rywioldeb a phopeth posibl a dweud y gwir. Ond ddigwyddodd dim byd. Gwyddai taw'r peth gwaraidd i'w wneud fyddai rhoi sws ar ei gwefusau. Gwyddai taw'r peth anwaraidd i'w wneud fyddai ei shagio hi mewn lôn fach gefn. Gwyddai am yr holl bethau hyn, ond roedd ei chwantau wedi tawelu wedi iddo weld Olwen, ac ar ôl popeth oedd wedi digwydd heddiw byddai'n well ganddo chwarae'n saff. Safai Megan yno'n ddisgwylgar a'i bochau hi'n goch gan ieuenctid a gor-ddawnsio yn y gig.

'Fi'n *really* hoffi ti, Efan,' meddai hi eto.

Blydi hel, mae hon yn siŵr o'i hunan, meddyliodd.

Ond yr ateb ddaeth o'i enau, er ei waethaf, oedd, 'Diolch, Megan.'

Trodd ei ben a cherdded i gyfeiriad Heol y Santes Fair gan adael Megan yn sefyll ychydig lathenni o'r clwb. Creulon, yn sicr. Ond caredig mewn gwirionedd. Doedd e ddim yn deall beth oedd wedi dod drosto. Nid ei ffyddlondeb at Crid oedd yn gyfrifol am ei ddiffyg nwyd, na chwaith y ffaith ei fod wedi troi dalen newydd. Roedd fel petai ei dri deg mlynedd wedi dal i fyny ag e dros y teirawr diwethaf, a smonach y gorffennol yn dal i gnoi ei din heddiw. Roedd ystyried gwneud *fuck-up* bach arall jyst yn *boring* heno. Doedd e ddim yn gallu egluro'r peth. Aeth adref, ac yn syth i'w wely.

*   *   *

'Galla i egluro,' meddai'r llais wrthi. Doedd hi ddim angen esboniad. Eisteddodd yno'n fud.

'Crid, wyt ti'n gwrando? Galla i egluro.'

Nodiodd Crid. Nodiodd eto. 'Iawn,' meddai. 'Ody Efan yn gwbod?'

'Ffycin hel, nadi, paid â bod yn sofft.'

Gwenodd Crid. Wrth gwrs nad oedd Efan yn gwybod. Roedd e'n un i rannu cyfrinachau. Fyddai e ddim wedi gallu peidio â dweud wrthi. Heb os.

'Ydy Anwen yn gwybod?'

'Be *ti'n* feddwl?' holodd Pont yn wawdlyd cyn gwthio'i fysedd drwy'i wallt. Roedd e'n banics llwyr a Crid yn helpu dim ar y sefyllfa drwy fod mor anemosiynol.

'Wy'n sori . . . bo' ti 'di gorfod 'yn gweld ni,' meddai. 'Crid?'

'Na,' meddai hi, 'wy'n sori am fod 'ma.'

Chwarddodd Pont yn sych am eiliad, 'Ie, a be ffyc *wyt* ti'n neud 'ma eniwei?'

'Mas 'da bois gwaith, tro cynta i fi fod mewn . . . clwb fel hyn,' meddai hi wrth basio, heb feddwl am ergyd y llinell.

Sobrodd Pont.

Edrychodd Crid o'i hamgylch. Roedd hi'n feddw gaib, a doedd dim golwg o Ed. Roedd e'n siŵr o fod yn mwynhau mewn rhyw gornel dywyll.

'Am bwy ti'n whilo?'

'Ed,' meddai hi, 'boi sy'n gweithio 'da fi.'

'Ed oedd yn danso'n gynt?' holodd Pont.

'Ie,' meddai Crid gan fethu peidio â dangos dryswch pur gyda'i llygaid, 'ti'n 'i nabod e?'

'Odw,' meddai Pont, mor naturiol ag y gallai, 'mae pawb yn nabod Ed.'

Ffyc mi, meddyliodd Crid. Mae e 'di cysgu gydag Ed.

Ar ôl ychydig o oedi, a'r ddau'n edrych ar eu traed, cododd Pont ei ben.

'Mae Julian a fi . . . ers blynydde, t'mod . . . nage ffling stiwpid yw hyn. Nage rhwbeth brwnt neu . . .'

Doedd Crid ddim yn gwybod a ddylai hi ei gredu e ai peidio. Wedi'r cyfan, pam fyddai pâr oedd yn mynd allan gyda'i gilydd ers blynydde'n boddran dod i glwb hoyw ar nos Fawrth?

'. . . A mae *hynny* i fod i neud pethe'n well, ody e?' holodd Crid. Doedd ganddi gynnig at Anwen, ond doedd neb yn haeddu cael eu trin fel hyn, chwaith. A hithau mor ffyddlon, yn obsesio amdano drwy'r dydd a'r nos. Doedd dim syndod ei bod hi'n *paranoid*. Roedd hi'n iawn i fod felly, yn llygad ei lle.

Daeth yn amlwg yn go glou fod Pont yn awyddus i ddod i drefniant gyda Crid. Roedd hyd yn oed Crid, yn ei chyflwr meddw, wedi gallu casglu cymaint â hynny. Roedd yna olwg ddespret yn ei lygaid, a chwys afiach yn diferu dros ei dalcen. Roedd gan Crid y pŵer i ddinistrio'i fywyd nawr, am ei fod e wedi caru'n gyhoeddus mewn clwb nos i hoywon yng Nghaerdydd. Ystyriodd Crid y sefyllfa. Mae'n siŵr fod nifer o bobl yn gwybod am hyn. Roedd gan soffas glustiau, yng Nghaerdydd fel ym mhob man arall. Mae Cymru mor fach, pawb yn nabod pawb. Ond pwy feddyliai y byddai hi o bawb wedi baglu ar draws hyn?

'Plîs,' erfyniodd Pont a'r olwg yn ei lygaid yn bathetig, 'plîs addo i fi na wedi di ddim gair wrth neb. Dim wrth Efan, dim wrth Anwen, dim wrth neb.'

Edrychodd Crid arno, a'i meddwdod yn araf ddiflannu. Teimlai drueni mawr dros Pont. Roedd y gwahaniaeth rhwng ei gaethiwed e a rhyddid Ed yn anhygoel. Roedd hwn yn cymryd arno bod yn rhywun arall, bedair awr ar hugain y dydd.

''Na i ddim . . . ond,' roedd hi eisiau dal ei law, 'bydde Efan yn deall.'

Ysgydwodd Pont ei ben yn wyllt. Faint oedd hwn wedi'i yfed? meddyliodd Crid. Ynte ai cyffuriau oedd yn gyfrifol am y rhimyn coch o amgylch ei lygaid?

'Na, na,' meddai Pont, 'plîs Crid, wy'n begian arnat ti nawr, paid ti byth â ffycin gweud . . .' Roedd yr olwg yn ei lygaid yr eiliad honno'n aflan.

Nodiodd Crid ei phen, 'Ond Anwen . . .' meddai mewn llais truenus.

'Wy'n gwbod,' meddai Pont, 'a 'na i 'i sortio fe.'

Roedd e'n gofyn rhywbeth mawr – yn gofyn iddi hi gelu celwydd enfawr oddi wrth Efan, a doedd y ddau ddim yn cadw cyfrinachau oddi wrth ei gilydd. Nid cyfrinachau mawr fel hyn, beth bynnag. Gallai weld fod Pont yn dal i boeni ei bod hi'n mynd i ddatgelu'r gwir wrth bawb.

'Wy'n addo, weda i ddim byd.'

Ac yna cerddodd Crid o'r clwb. Teimlai'n gandryll am ryw reswm, ac mewn sioc hefyd. Doedd hi ddim yn gwybod a oedd hi wedi dychmygu'r cyfan ai peidio. Doedd ei meddwl hi ddim yn gallu ffocysu. Ar ei phen ei hun roedd hi nawr, yn cerdded y stryd yn chwilio am dacsi. Roedd hi wedi trio cael gafael ar Ed ond doedd dim golwg ohono yn unlle. Roedd hi'n hen bryd mynd adref, meddyliodd Crid, gan gerdded yn frysiog at yr arhosfan tacsis ac ysu am gael bod yn ôl yn ei gwely.

*   *   *

Pan droediodd Efan i mewn drwy'r drws, ni allai feddwl am ddim byd gwell na mynd i'r gwely. Dringodd y grisiau a chwympo fel sach o datws ar y cwilt. Heb lanhau'i ddannedd, heb olchi'i wyneb hyd yn oed. Heb newid i'w byjamas. Dim ond cwsg oedd ar ei feddwl. Ond cyn iddo ganiatáu hynny iddo'i hun, gafaelodd yn ei ffôn a cheisio anfon neges destun.

'Iawn, gallwn ni gwrdd. Trefna di.'

Anfonodd y neges at Anwen. Taw pia hi am y tro, Efan, meddyliodd. Gwell fyddai siarad gyda'r Fawd cyn dweud gair wrth neb. Ac ar hynny, gollyngodd y teclyn o'i law a chwympo i gysgu.

Ar ôl rhyw bum munud o gysgu cegagored a phoer yn driblan dros ei ên, dringodd fel baban bach o dan y cwilt. Gorweddodd yno mewn cwsg pêr, a'r llenni led y pen ar agor. Pelydrodd golau'r lleuad drwy'r ffenest a throi ei wallt tywyll yn llwyd.

Ychydig yn ddiweddarach, dringodd dynes feddw, dri deg pedwar mlwydd oed, yn drwsgwl i'r gwely. Gallai Crid weld bod Efan wedi bod allan hefyd. Gyda Jiv, siŵr o fod. Nid gyda Pont, beth bynnag, roedd hi'n gwybod hynny'n iawn. Gwibiodd ei meddwl hi dros bopeth oedd wedi digwydd heno. Roedd hi'n gymysglyd i gyd. Pont yn cusanu, Pont yn crefu arni. Teimlai'n grac gydag e, ac eto roedd hi'n teimlo'n flin drosto hefyd. Ac yna Ed. Wyneb Ed, yn siarad gyda hi drwy'r nos. Yn gwenu. Roedd ei eiriau am ei *helpu hi mas* wedi'u serio ar ei chof. Gorweddai Crid wrth ochr Efan, a theimlo'n rhwystredig am na allai siarad ag e am yr hyn roedd hi wedi'i weld. Am eiliad fach, teimlodd yn unig iawn. Roedd yr holl bethau hyn yn chwyrlïo o amgylch ei phen, ac mae'n bosib na fyddai hi byth yn cael rhannu'r peth gyda'i phartner. Byth bythoedd.

Pwysodd tuag ato, yn dal i deimlo ymchwydd y cariad a deimlodd hi ynghynt. Rhoddodd gusan ar ei war, er na symudodd o gwbl. Gafaelodd amdano'n dyner a chlosio ato, ond fe ddeffrodd Efan am eiliad a'i gwthio hi'n ôl i'w hochr ei hun.

'Be ti'n neud, myn?'

Symudodd Crid ei llaw.

'Sori,' meddai cyn troi i'w hochr hi o'r gwely. Estynnodd am ei ffôn a byseddu neges destun at Ed.

'Sori ddiflannes i. Noson wych. Diolch. Fi'n nacrd. x'

pennod saith

Over the piano was printed a notice:
'Please do not shoot the pianist.
He is doing his best.'

Oscar Wilde

Eisteddodd Efan yn amyneddgar. Roedd hi chwarter awr yn hwyr. Pa hawl oedd ganddi fod yn hwyr? Yn ei dŷb e, roedd hi'n lwcus ei fod e wedi blydi troi lan o gwbl. Arhosodd yno, gan yfed can o *diet coke* am ei fod yn dal i deimlo ychydig bach yn *hungover* ar ôl neithiwr. Doedd Efan byth yn deall sut roedd e'n gallu teimlo'n waeth ar ôl yfed cwpwl o ddiodydd na phetai wedi mynd yn hollol *smashed*. Edrychodd ar ei oriawr yna syllodd draw at Gastell Coch. Castell Coch o bob man. Doedd e ddim yn bell iddi hi. Dim ond lan yr hewl ac i'r chwith, ac roedd hi'n dal i lwyddo bod yn hwyr.

Roedd *e* wedi gorfod teithio ymhellach. O Grangetown. Er, doedd hynny ddim yn dechnegol gywir. Wedi gyrru o Donteg oedd e'r bore 'ma am ei fod e'n tiwnio yno ben bore, a galw'n ôl yng Nghastell Coch erbyn cinio. Efallai nad oedd e wedi gorfod mynd yn rhy bell allan o'i ffordd, felly, ond doedd dim amser gydag e i falu cachu. Wedi'r cyfan, roedd e wedi addo mynd i weld Gwen ar ei ffordd yn ôl i Grangetown. Pan ffoniodd Gwen bore 'ma, roedd ei llais hi'n gryg. Roedd hi'n llawn annwyd ac yn gobeithio y byddai modd iddi gael cwmni Efan am awr fach yn ystod y prynhawn. Roedd Efan yn ddigon hapus i gytuno, ac eto, yng nghefn ei feddwl, rhaid cyfaddef ei fod e'n meddwl ei bod hi'n cymryd y *piss* ryw fymryn. Disgwyl iddo alw yn ystod ei oriau gwaith heb dderbyn ceiniog o dâl am ei drafferth. Doedd e ddim eisiau ei harian hi, ac eto, roedd hi'n mynd â'i amser e yn ystod y dydd. Teimlai'n euog wrth feddwl hyn: roedd e'n mwynhau'i chwmni hi, ac roedd hi'n garedig wrtho hefyd, ond ar y cyfan roedd e'n ymwybodol ei bod hi wedi mynd yn fwy dibynnol arno'n ddiweddar.

Wrth ystyried y pethau hyn, gwelodd Efan Y Fawd yn dod tuag ato ar hyd y llwybr, mewn siwt borffor dynn a sbectol haul fawr ddu. *Power dressing*, myn yffarn i, meddyliodd Efan. Cerddodd tuag ato'n gyflym, ar hyd y llwybr coediog, ac arogl pridd yn dew o'u cwmpas. Roedd nifer o bobl yma heddiw am ei bod hi'n wyliau Pasg, ac o'r olwg oedd ar ei gwep doedd Y Fawd yn amlwg ddim yn hapus am hyn. Ond hi oedd wedi awgrymu taw fan hyn fyddai'r lle gorau i gyfarfod, felly *tough shit*.

Tynnodd siaced ei siwt i lawr yn daclus a diosg ei sbectol. 'Efan,' mwmialodd, 'diolch am gwrdd.'

Blydi hel, braidd yn ffurfiol, meddyliodd Efan. Eisteddodd hi wrth ei ymyl ar y fainc gan droi'i chorff oddi wrtho, a syllu tuag at y maes parcio. Croesodd ei choesau a'u pwyntio nhw'n hir i'r cyfeiriad arall. Roedd hi'n amlwg yn llawn embaras. Er, efallai taw nad embaras oedd e wedi'r cyfan, ond y teimlad ofnadwy hwnnw pan nad wyt ti'n hoffi'r ffaith bod rhywun arall yn rheoli sefyllfa; yn enwedig rhywun nad wyt ti'n arbennig o hoff ohono. Cerddai ambell bâr ar hyd y llwybrau dan y coed, a rhedai plant-cyrion-y-ddinas o gwmpas y lle yn eu welingtons lliwgar.

'Gwranda,' meddai'r Fawd, 'ddylet ti ddim fod wedi gweld be welest ti.' Roedd ei llais yn dawel, ac roedd hi'n amlwg yn casáu pob munud o hyn. Roedd pob munud yn gyfaddefiad pellach nad oedd hi'n berffaith.

Cofiodd Efan yn sydyn ei fod wedi gweld ei thits hi. Rhai neis oedden nhw hefyd, ond nid nawr oedd yr amser i feddwl am hynny.

'Ie,' meddai Efan, â rhyw chwerwedd yn meddiannu'i lais, 'mae e 'di bod ar 'yn feddwl i lot.'

'Wrth gwrs,' meddai hi'n dawel, 'mae'n *shit*, a wy 'di gneud yn siŵr bod y cyfan drosodd.'

Trodd Efan tuag ati. Prin y gallai gredu ei bod hi'n cydnabod ei bod hi wedi cael affêr. Roedd e wedi amau y byddai hi'n gwadu'r cyhuddiad hwnnw, gan ddweud taw *one-off* oedd yr hyn a ddigwyddodd.

'Chi 'di bod yn *gweld* eich gilydd 'te, y'ch chi?'

Ac, yn ôl y disgwyl, daeth y bitsh i'r wyneb. 'O ffycin hel, Efan, *it's none of your business*. Y peth pwysig yw, *it's finished. No more, ok?* Wedyn, 'na i gyd sy angen i ti wbod.'

'Ond bydde Pont yn fodlon gneud *unrhyw beth* i ti. Mae e 'di bod 'na i ti dros yr holl flynyddoedd . . .'

Gwylltiodd Y Fawd ar hyn a throdd ei hwyneb yn borffor. 'Sori? Be ti'n drio syjesto, bod e 'di bod yn ferthyr ife? Achos bo fi 'di ca'l *eating disorder*. Wel, *for your information*, sneb yn berffaith. Bydden i'n meddwl bo' ti o *bawb* wedi gorfod derbyn 'nna.'

Edrychodd Efan i fyny at frigau'r coed. '*Actually*, do'n i ddim yn gwbod unrhyw beth am dy brobleme bwyta di.'

Poerodd hi'r geiriau, 'O God,' mewn sibrydiad. Roedd hi'n palu twll enfawr i'w hunan, y tu allan i Gastell Coch.

'Drycha Anwen . . .' Doedd dim amser gan Efan ar gyfer rhyw nonsens fel hyn, 'fi 'di penderfynu, ar ôl meddwl lôds am y peth, mod i'n meddwl . . . y dylet ti ddweud wrth Pont.'

'*What?*' meddai hi, yn anghrediniol.

'Cadw dy lais i lawr, myn,' meddai Efan gan wenu ar bâr oedrannus oedd yn mynd heibio gyda'u ci.

'Ti'n mynd i ddweud wrtha i sut i fihafio *in my own relationship*?'

'Na,' meddai Efan, 'nid 'na'r pwynt. Y pwynt yw, alla i ddim dychmygu gwbod rhwbeth mor hiwj ambyti chi a gorfod cadw fe i fi fy hun. Wedyn, wy am roi'r siawns i ti ddweud cyn bo fi . . .'

Aeth ei llaw chwith at ei hwyneb, a'i bysedd yn gorffwys ar ei bochau. *Waterworks* nawr, ife? meddyliodd Efan. Oedd, roedd hi'n crio, ac yn trio peidio ar yr un pryd, yn ôl pob golwg.

'Plîs, Efan, mae'n rhaid i ti drysto fi. Ma' fe wedi bennu. Fydd hyn ddim yn digwydd 'to. Achos *insecurities* fi, 'na pam 'nes i fe.'

O, 'na beth maen nhw'n 'i alw fe dyrnode hyn, ife? chwyrnodd Efan.

'Onest nawr, Efan, mae Pont yn foi digon anodd byw 'da fe. Fi'n crêfo sylw o lefydd eraill achos bo fi'n becso bod e ddim yn licio fi ddigon. A falle taw fi sy'n *paranoid* ond . . .'

Dyna oedd y geiriosen ar y gacen i Efan. Cododd ar ei draed.

'Os wyt ti'n meddwl bo fi jyst yn mynd i eistedd fan

hyn a gwrando arnat ti'n dweud taw Pont sy ar fai fod ei wraig e'n slyt, ti ddim yn nabod fi'n dda iawn.'

Cododd Y Fawd ar ei thraed, gan gydio yn ei bag mewn un llaw a cheisio twtio'i mascara gyda bysedd ei llaw arall.

'Na . . . ond jyst . . .' mwmialodd hi.

'Allet ti ddim cael neb mwy caredig a *sorted* na fe. Ti 'di bod yn *paranoid* erio'd. Ti'n *possessive*, yn *obsessed* gyda'r syniad 'i fod e'n lico menwod erill, a ti jyst angen stopo bod mor *self-centred*. Chi newydd symud i semi yn sybyrbia *for fuck's sakes*. Wrth gwrs 'i fod e moyn bod 'da ti!' Anadlodd Efan yn ddwfn. 'So'r unig beth sda fi i weud yw, un ai *ti'n* gweud wrtho fe, neu *wy'n* gweud.'

O ganol y dagrau daeth wyneb chwerw Anwen yn agos ato, ac yn agosach fyth wrth iddi siarad yn dawel, a phoer yn ymddangos ar ochrau ei gwefusau: 'Gwed ti *un* gair wrth Pont . . .' meddai, gan syllu i fyw llygaid Efan, 'a bydde'n ddigon hawdd i fi awgrymu bo' ti wedi trial e 'mlaen 'da fi pan ddest ti i'r tŷ i diwno y diwrnod o'r blaen.'

'Beth?' ebychodd Efan, gan deimlo fel petai e mewn rhifyn o ryw opera sebon, 'a ti'n meddwl bydde fe'n credu ryw *crap* fel 'na? *Get a grip* nawr, Anwen, nid *Eastenders* yw hyn.'

'Fy ngair i yn erbyn dy air di. *And personally*, wy'n credu bo fi'n gwbod pwy fydde Pont yn trysto. *Depressed drop-out of a teacher or loving, doting girlfriend.*'

Gosododd ei sbectol haul yn ôl ar ei thrwyn, cyn troi at y llwybr a cherdded i ffwrdd. Bu bron i Efan chwerthin yn uchel. *As if* byddai Pont yn credu'r fath honiad hurt!

Ac yna, wrth i'r syniad suddo'n raddol i'w ben, dechreuodd sylweddoli'r twll roedd e wedi landio ynddo nawr. Doedd dim modd cymryd risg fel hyn gydag emosiynau pobl. Roedd dynion yn gallu bod yn ddall lle roedd menywod yn y cwestiwn; gallai Pont, fel pob dyn twp arall, gredu stori wallgo os oedd y fenyw iawn yn ei dweud hi. Tybed, tybed oedd Y Fawd wedi bwriadu defnyddio'r bygythiad hwnnw o'r cychwyn cyntaf? *What a bitch*, meddyliodd. Erbyn iddo gyrraedd y car ac eistedd i lawr yn yr hen Volvo, roedd e'n teimlo'n euog. Pam ffyc wyt *ti'n* teimlo'n euog? holodd ei hun. Nid ti sy ar fai am unrhyw beth fan hyn. Ond roedd Efan Harry wedi llwyddo i'w gwneud hi eto. Wedi llwytho cyfrifoldebau a beiau'r byd ar ei ysgwyddau – er nad fe oedd wrth wraidd y mater hwn o gwbl.

Wrth yrru i lawr yr hewl droellog yn ôl at bentref Tongwynlais, teimlai atgasedd pur tuag at un o fenywod mwyaf peryglus Caerdydd. Beth fyddai gan Gwen i'w ddweud am y tro annisgwyl hwn, tybed? Roedd y syniad o fynd i'w gweld yn achubiaeth iddo, sylweddolodd. Diolch byth amdani. Felly gyrrodd ar ras i gyfeiriad y Rhath, gyda Classic FM yn blastio mor uchel â phosib.

*   *   *

Curodd yn dawel ar y drws am eiliad, cyn cofio bod ganddo allwedd. Roedd e wedi galw yn y siop yn y Rhath i nôl ambell beth i Gwen gan fod ganddi annwyd. Müller Rice; roedd hi'n hoff o hwnnw. Kiwis; roedd hi'n eu hoffi nhw hefyd, yn bwyta'r croen a phopeth.

I mewn â fe gan holi'n ysgafn, 'Helô?'

'Fan hyn,' galwodd Gwen o'r lolfa.

Crwydrodd Efan drwy'r tŷ gyda'i fag plastig yn sisial yn erbyn ei jîns.

Rhedodd Gwenhwyfar a 'Mered' i lawr y grisiau gan chwyrnu.

'Haia bois,' meddai Efan. Roedd e bron iawn yn falch o'u gweld nhw. 'Lle mae Mam, 'te? Fi'n chwilio amdani hi hefyd.'

Sylwodd Efan fod ei lwnc yn sych. Doedd pobl ddim yn llwyddo i'w ypsetio fe'n aml, ond roedd Anwen wedi gwneud. Roedd rhywbeth ofnadwy am ei bygythiad – dweud ei fod e wedi trio fe mla'n, wedi bod yn rhyw fath o *perv*. Roedd yr awgrym yn ddigon i godi cyfog arno. Ond roedd hyd yn oed yr honiad yn ddigon i wneud iddo deimlo bod yna elfen o wirionedd *yn* perthyn i'r peth. Bitsh, meddyliodd.

Dilynodd y cŵn Efan cyn ei oddiweddyd wrth iddo fynd i mewn i'r lolfa.

'Helô.'

Clywodd Efan y llais egwan cyn gweld Gwen yn eistedd mewn cardigan las wrth ymyl y piano. 'Helô, chi'n teimlo'n well?' holodd.

Lledaenodd ei gwên hyd gorneli'r stafell a disgleiriodd ei llygaid gleision. 'Dewch mewn, wy'n edrych yn uffernol, ond dewch mewn,' meddai. 'Wy 'di bod yn trio chwarae tamed bach ar y piano 'ma! Byddech chi wedi chwerthin tasech chi wedi clywed!'

Taflodd Efan ei hun i lawr ar y soffa, a rhoi'r bag plastig ar y llawr. 'Cariwch chi 'mlaen!' meddai wrthi'n chwareus.

Edrychodd Gwen arno'n goeglyd cyn sniffian i hances boced gyda rhimyn pinc arni a throi tuag at y piano. Chwaraeodd gordiau emyn yn go sigledig nes i Efan sylweddoli mai, 'Canaf yn y bore am dy ofal cu' oedd y geiriau a'r alaw oedd yn cael eu hymian gan Gwen.

'Chi'n gweld,' meddai wrth Efan, 'ofnadwy!'

'Chi'n ocê,' meddai Efan yn hael. 'Gyda bach o ymarfer byddech chi'n well fyth.'

'Whare teg i chi, grwt,' meddai Gwen gan dynnu'i dwylo'n ôl i'w chôl. Pwyntiodd at botyn arian oedd yn eistedd ar y piano. 'Dyna Arianwen. Ychydig bach yn *bonkers*, sbo.'

Casglodd Efan taw llwch Mered oedd yn y potyn mewn gwirionedd, ond doedd e ddim am godi'r peth heddiw.

'Benderfynes i beidio'i gadael hi yn y *chapel of rest* 'na. Ro'dd e'n teimlo'n anghywir,' meddai hi'n dyner.

Dechreuodd Gwen besychu. Roedd Efan yn meddwl efallai ei bod hi'n crio hefyd, ond nad oedd hi eisiau dangos hynny iddo fe.

'Fyddech chi'n fodlon chwarae deuawd gyda fi?' holodd Gwen.

'Ym,' meddai Efan, 'ie, iawn, ond sa i'n gwbod pa un fydde'n addas . . .'

'Ro'dd gen i frawd,' meddai Gwen wrth i Efan symud draw at y piano, 'William o'dd ei enw fe. Gwasanaethu ar wahanol ffermydd oedd e drwy'i oes. Ro'dd lot o bobl yn meddwl bod cnoc arno fe, ond ro'dd mwy o lawer iddo fe na hynny.'

Nodiodd Efan, fel pe bai'n trio dweud wrthi ei fod yn hapus i glywed y stori. Eisteddodd ar y stôl biano hir. Roedd e'n agosach at Gwen yn gorfforol nag y bu e erioed. Gallai weld manylion ei chardigan, a'r perlau bychain oedd am ei gwddf. Gallai weld ei hysgyfaint hi'n codi a gostwng yn ara' deg bach. Sylwodd ar grychau ei hwyneb hi, oedd fel hewlydd Caerdydd yn ymdroelli dros ei chroen. Aroglodd hi hefyd. Arogl nad oedd modd ei ddisgrifio'n iawn. Arogl dillad glân a the. Arogl dail a gwlân. Sylwodd Efan ei fod e wedi bod yn canolbwyntio ar olwg Gwen, gan golli talpiau mawr o'r stori am William.

'. . . bydde fe'n aros lan drw'r nos yn eu sgwennu nhw mas, ac yn chwarae'r piano i ni i gyd gyda'r nos. Ro'dd Mam wastad yn dweud dyle fe fod wedi mynd â'r alawon at rywun, gneud rywbeth 'da nhw. Ond nath e ddim. '

'Ody'r copïau gyda chi?' holodd Efan.

'Dy'n nhw ddim yn dda,' meddai Gwen. 'Alawon 'nath e'u cyfansoddi, dyna i gyd y'n nhw. Ond pan o'n i'n sâl yn ferch fach, bydde Mam yn gofyn i William chwarae ambell alaw a finne'n eistedd yn y gadair gyda siôl drosto i, yn sniffs i gyd!'

A byddai ei thrwyn hi wedi bod yn goch hefyd, fel heddiw, meddyliodd Efan. Druan fach!

Estynnodd Gwen am ffeil frown oedd yn gorwedd ar y piano. Ynddi, roedd copïau carpiog o hen alawon. Doedd William ddim yn giamstar ar nodi'r alawon, meddyliodd Efan, ond gosododd nhw ar y stand a syllu arnyn nhw. Dim ond alaw'r llaw dde oedd yno.

'Wel, beth am i chi chwarae'r alaw, a 'na i chwarae cordiau,' meddai Efan, cyn codi a symud i ochr arall y stôl. Symudodd Gwen yn drwsgwl ar hyd y stôl, gan edrych ar yr alaw.

'Ble ma William yn byw?' holodd Efan yn ddi-ffws.

'Gath ei ladd yn y rhyfel,' meddai Gwen gan bwyso'i phen yn ôl a syllu ar y nenfwd, yn amlwg dan deimlad. Anadlodd yn drwm. Doedd Efan ddim yn siŵr iawn beth i'w ddweud.

'Ac os oes annwyd 'da fi,' meddai wedyn, 'dw i

wastad yn cofio am Mam a Wil. Y moddion coch ro'dd yn rhaid i fi yfed a'r nodau ro'dd Wil yn 'i chwarae.'

Pwysodd Efan gordiau'r piano'n ofalus a llusgwyd Gwen yn ôl o fyd ei hatgofion. Chwaraeodd Gwen un o alawon swynol William a chwaraeodd Efan gordiau syml i gyd-fynd â hi. Doedd e ddim yn gweld gwerth mewn dangos ei hun gyda chordiau fyddai'n gwneud i'r darn swnio'n well; roedd e am i Gwen gofio'r profiad gwreiddiol. Hanner ffordd drwy'r gân fach annwyl, stopiodd Gwen chwarae.

'Wy'n bod yn hunanol yn gofyn i chi ddod fan hyn drwy'r amser.'

Pwysodd Efan ei ddwylo yn erbyn pren y piano. Doedd e ddim am siarad am y pethau hyn; roedd yn llawer gwell ganddo fod pethau'n llifo'n naturiol.

'Sdim rhaid i chi alw i 'ngweld i,' meddai hi. 'Peidiwch â meddwl y bydden i'n pwdu. Fydden i'n deall yn iawn.'

'Wy'n hapus i ddod,' meddai Efan, gan deimlo fel sant am y tro cyntaf ers sbel. Doedd e ddim am ddweud ei fod e'n gorfod dod ati hi i gael cysur a diddanwch. Doedd e ddim am ddweud ei fod e'n teimlo poenau'r byd yn diflannu wrth droedio drwy'r drws, er bod hyn i gyd yn wir.

'Mae'n golygu lot i fi eich bod chi'n dod yma,' meddai hi wedyn, 'a fydda i ddim yn anghofio hynny.' Symudodd ei thraed ar hyd y carped nes eu bod nhw'n bâr bach twt. 'W, a gyda llaw, tra mod i'n cofio: mae Trefor wedi bod mewn cysylltiad eto. Ar *text*.'

'Ar *text*!' meddai Efan, gan grychu'i dalcen i ddangos ei fod e'n *impressed*.

'Mae'n debyg fod *hard to get* yn gweithio yn 'yn oed i

hefyd,' meddai hi gan chwerthin yn dawel, fel merch fach.

Roedd Efan yn ysu am gael dweud wrthi am y *crap* roedd e wedi gorfod delio gydag e dros y diwrnodau diwethaf. Eisiau dweud wrthi am ei gyfarfod â'r Fawd, eisiau clywed ei chyngor arbennig hi. Ond pnawn 'ma, roedd e'n gwybod nad dyna ddyliai ei wneud. Teimlai'n hapus i adael i Gwen fyw yn ei swigen fach ei hun heb ei blino hi gyda straeon tywyll ei fywyd e. Teimlai fel oedolyn yng nghwmni merch yn ei harddegau.

Ar hynny, rhedodd y cŵn at draed Efan a Gwen.

'Mae'r cŵn yn eich hoffi chi erbyn hyn,' cadarnhaodd hi. 'Mae hynny'n arwydd da!'

Erbyn hyn! Rhaid ei bod hi wedi sylwi, wedi'r cyfan, nad oedden nhw'n cyd-dynnu yn y gorffennol. Roedd rhywbeth yn bendant wedi cynhyrfu'r creaduriaid nawr, a dechreuodd y ddau redeg ar ôl ei gilydd yn hollol wallgof. Siglodd Gwen ei phen a chlywodd sŵn bag plastig yn sisial. Roedd trwynau'r ddau yn y bag, yn cael golwg agosach ar y Müller Rice.

'Na! Cŵn drwg! Bag Efan yw hwnna!'

'Wy jyst 'di dod â cwpwl o bethe i chi,' meddai Efan, 'gan eich bod chi'n sâl.'

Rhoddodd Gwen ei llaw ar fraich Efan i ddynodi pa mor ddiolchgar oedd hi. 'Newch chi ŵr da i rywun,' meddai hi gan chwerthin yn ddrygionus.

Na 'na i ddim, meddai Efan wrtho'i hun, tasech chi ond yn gwbod y gwir . . .

Pan adawodd Efan y tŷ yn hwyr y pnawn hwnnw, a'r haul yn dal i lyfu dŵr Llyn y Rhath, teimlai'n fregus. Roedd y byd i gyd fel pe bai ar wyliau, yn haul cynnar y gwanwyn. Ond roedd hi'n dal yn aeaf ym myd Efan

Harry heb olwg fod hynny'n mynd i newid yn fuan iawn. Am ei fod e wedi penderfynu peidio â mwydro pen Gwen am ei broblemau personol, doedd e ddim yn teimlo ei fod wedi gallu rhannu dim gyda neb. Ac o'r hyn a welai, doedd e ddim yn mynd i *gael* y cyfle, chwaith. Gyrrodd yn ôl i Grangetown wedi blino'n lân. Doedd ganddo ddim dewisiadau i'w gwneud rhagor. Roedd Y Fawd wedi penderfynu'r hyn roedd yn rhaid iddo ei wneud: aros yn dawel, a pheidio â dweud gair wrth yr un enaid byw am yr affêr. Teimlai fel darn dinod mewn gêm o wyddbwyll, yn cael ei wthio ar hyd rhyw lwybr heb reolaeth na dewis yn y byd.

Aeth i'w wely y noson honno am naw. Doedd dim sôn am Crid. Doedd e ddim yn gallu cadw trac ar drywydd ei fywyd ei hun, felly pam fyddai e'n meddwl y gallai ddilyn trywydd rhywun arall? Wrth iddo gau'i lygaid, ystyriodd pa mor hollol *fucked-up* oedd y ffaith nad oedd y ddau wedi gweld ei gilydd yn iawn ers amser. Roedden nhw mewn perthynas, i fod. Ond gwthiodd y pryder hwnnw yn ddwfn i gefn ei feddwl. Roedd digon o faterion pwysicach i ddelio gyda nhw. Am y tro, o leiaf.

pennod wyth

Get up from that piano. You hurtin' its feelings.

Jelly Roll Morton

Rai nosweithiau'n ddiweddarach, pwysodd Crid ar fol Efan a'i lyfu. Am ryw reswm, roedd Efan yn hoff o'r math yma o beth. Llyfu hufen iâ oddi ar groen, rhoi iâ ar ei dethi. Ac eto, roedd oes pys wedi mynd heibio ers iddyn nhw wneud hynny. Roedd y ddau wedi llwyddo i ddod ar draws ei gilydd yn y tŷ o'r diwedd. Nid yn aml roedden nhw'n gweld ei gilydd y dyddiau hyn, ond pan fentrodd Crid i'r gwely teimlodd yr ysfa i garu gydag Efan. Ac, yn rhyfedd ddigon, nid oherwydd ei fod yn amser da yn y cylch misol. Roedd hi wedi cael digon ar ei phleseru ei hun, a theimlai ei fod yn wastraff ar ddau gorff nad oedd y ddau yn mwynhau cyrff ei gilydd. Yn fwy na hyn i gyd, wrth gwrs, oedd y ffaith ei bod hi'n ddiolchgar nad oedd e'n hoyw. Yn wahanol i Pont. Teimlai bili-palod yn ei bol wrth feddwl am hynny eto. Doedd Efan ddim yn fywiog iawn heno, ond roedden nhw wedi rhannu cusan, a chusan arall. A daeth ei dafod i'r wyneb (oedd wastad yn arwydd da). Roedd hi, fel Efan, wedi bod yn poeni am ddyfodol y berthynas yn ddiweddar. Ond roedd hi'n benderfynol o wneud ei gorau i adfer pethau, a threulio mwy o amser gydag e.

Gwenodd Crid ar Efan yn y gwyll. Er bod y llenni wedi'u cau ar Grangetown, roedd y ffenest fach yn dal ar agor. Gallai'r ddau glywed cadair olwyn drydanol Carol, yr hen fenyw dros y ffordd, yn gwichian tuag at ei drws ffrynt hi.

Daliodd Crid ati i lyfu bol Efan a gorweddodd yntau'n ôl fel brenin a'i ben ar y gobennydd. Er bod golwg wedi llwyr ymlâdd arno, roedd ei bidyn yn dal i weithio. Teimlodd Crid yr ymchwydd yn caledu ac yn codi nes cyffwrdd, drwy'r bocsyrs, â'i bol noeth. Doedd hi ddim yn hoffi ei bol – roedd 'na farciau gwyn fel afonydd drosto. Wrth gwrs, roedd Efan yn arfer adrodd yr hen *clichés* wrthi – ei fod e'n meddwl eu bod nhw'n *sexy*, ac yn ei gwneud hi'n ddiddorol. Ond doedden nhw ddim. Ffycin bolycs oedd hynny i gyd. Ceisiodd wthio'r meddyliau negyddol o'r neilltu a theimlo fel petai hi'n seren mewn ffilm porn. Yn hyderus, yn eofn.

Dilynodd ei thafod linell ei flew, o'i fola hyd at ei bidyn. Yna, yn dyner, gorffwysodd ar ei gorff cyn codi ar ei heistedd a rhoi ei dwy goes ar y naill ochr i'w gorff e. Roedd hi'n noeth ar wahân i'w bra. Tynnodd Crid hwnnw'n araf ac edrych ar Efan. Roedd e'n hoff o weld ei bronnau hi, gwyddai hynny. Byddai hi'n mwynhau'r olwg yn ei lygaid. Golwg o ryfeddod, golwg o chwilfrydedd. Doedd ei bronnau ddim yn berffaith, o bell ffordd. Roedd un ychydig yn fwy na'r llall, a thyfai blewiach bach du o amgylch y tethi. Pwysodd Crid ei chorff tuag at wyneb Efan a sugnodd yntau ei thethi hi. Doedd hi ddim yn hoff o'r rhan yma o'r caru, ond roedd dynion wrth eu boddau. Wel, yr holl ddynion y bu hi gyda nhw, o leiaf.

Cyn pen dim roedd y ddau ymhleth yng nghyrff ei gilydd a'r weithred o gael rhyw yn ddisgwylgar yn yr aer. Gallai Crid weld bod Efan yn amlwg yn mwynhau; roedden nhw'n deall ei gilydd yn y gwely. Bron nad oedd yr holl beth wedi mynd braidd yn ystrydebol. Efan yn gwybod ei bod hi'n hoffi cael ei chusanu ar ei gwar a blaenau bysedd ei thraed. Fe'n joio'r ffaith ei bod hi'n llyfu. Llyfu popeth, llyfu, llyfu nes bod y dillad gwely'n wlyb. Wrth i'r ddau gusanu, rhuodd car heibio ar y stryd a sŵn cerddoriaeth yn pwmpio'n aflafar ohono.

Anadlodd y ddau mewn cytgord cyn i Crid daflu ei hun ar y gwely, a gorwedd ei phen yn ôl ar y gobennydd. Roedd ei phen yn wlyb gan chwys, a gwreiddiau'i gwallt yn teimlo'n oer. Agorodd ei choesau led y pen a gwenu ar Efan. Gwenodd yntau'n ôl arni cyn gafael yn dynn yn ei chluniau a'u tylino nhw. Pam oedd e'n mynnu gwneud hynny bob tro? Trodd tuag ati, gan wthio'i gorff yn nes ac yn nes. Yna'n araf, gwthiodd Efan ei bidyn yn ddwfn i Crid a hithau'n ei gynorthwyo'n betrusgar. Roedd y ddau'n wlyb gan chwys erbyn hyn. Gwthio a chlosio. Gwthio eto. Yn ôl y sŵn a wnâi, roedd Efan yn amlwg yn mwynhau. Sŵn mwmian rhythmig gydag ambell besychiad. Dyna oedd y drefn, bob tro. Ceisiodd Crid fwynhau, fel roedd hi'n awyddus i'w wneud. Ceisiodd ymlacio, a theimlo Efan y tu mewn iddi, yn ei llenwi hi. Ond waeth faint roedd hi'n ceisio ymlacio, doedd hi ddim yn gallu teimlo uchafbwynt yn nesáu. Ceisiodd feddwl am bopeth i'w hannog hi, ond doedd dim byd yn cydio. Roedd hi'n dal i deimlo pleser, ond doedd y pleser hwnnw ddim yn cynyddu, ddim yn dirgrynnu oddi mewn iddi. Gwyliodd Efan wrth idddo symud yn ôl ac ymlaen gan fwynhau'r ffrithiant yn ei herbyn hi – am eiliad synhwyrodd ei fod yn osgoi edrych arni. Ac roedd hithau hefyd fel petai'n gwylio hyn o bell, rhywffordd. Gwyliodd hi Efan yn agor ei geg, yn amlwg ar fin dod. Gwyliodd hi Efan yn gwthio'n gyflymach, ac yn gyflymach nes teimlo'r hylif gwyn o'i mewn, ac yntau'n pwyso'n drwm arni. Ei gorff trwm yn gorwedd arni, yn ei mygu hi, a'i wyneb e o'r golwg yn y gobennydd.

'Ffyc. Ie,' meddai Efan, wedi blino. Tynnodd ei bidyn mas ohoni a symud nes ei fod yn gorwedd wrth ei hymyl. Cusanodd y ddau, cyn tawelu a gorwedd yn llonydd. Ar ôl ychydig, gallai Crid glywed Efan yn chwyrnu'n dawel. Pwysodd ar y cwpwrdd wrth erchwyn y gwely ac estyn am ei ffôn.

-Haia Ed, ti'n gwbod nest ti sôn am rywbeth pwy nosweth . . . allwn ni gael chat am y peth? x

*   *   *

Ar ôl gwylio *Newsnight*, aeth Efan i'w wely. Wrth iddo orwedd yno'n meddwl am ddim byd arbennig, teimlodd law yn estyn dros y cwilt. Roedd Crid yn amlwg yn horni. Eisiau chwarae, eisiau joio. A doedd dim ots ganddo yntau chwaith. Heno, roedd *popeth* yn ei wneud e'n horni. Roedd hyd yn oed clywed Jeremy Paxman yn dweud y gair '*girly*' wedi gwneud i'w bidyn symud.

Roedd e'n falch o'i charu hi heno; doedden nhw ddim wedi gwneud ers tro byd, a theimlai Efan ei fod wedi troi dalen newydd dros y dyddiau diwethaf. Roedd e wedi dod i delerau gyda'r ffaith na fyddai'n cael codi unrhyw fater annymunol gyda Pont. Rhwng Y Fawd a'i chydwybod oedd ei farn ar hyn o bryd. Ond y teimladau oedd wedi goroesi erbyn hyn oedd teimladau o falchder ei fod e fel petai'n dechrau aeddfedu. Yn bennaf oll, roedd e'n browd ohono'i hun am wrthod cynnig Megan. Ond roedd e hefyd wrth ei fodd fod Gwen yn meddwl ei fod yn ffrind mor dda, a theimlai ei fod e'n haeddu clap ar ei gefn am lwyddo i ddelio mor effeithiol gydag Olwen a'i dribls, er na fyddai Olwen yn amlwg yn cofio'i oddefgarwch yn y bore. *Shit*, meddyliodd. Bydd hi'n *ground hog day* yn Clwb Ifor y tro nesaf, nawr fod hon yn byw yng Nghaerdydd.

Ta waeth, roedd Crid yn hyderus heno. Rhoddodd gnoad i'w wefus wrth gusanu. Roedd hynny'n aml yn arwydd da, yn arwydd da iawn a dweud y gwir. Falle y bydde hi'n fodlon siarad yn frwnt – siarad yn frwnt yn Saesneg, hyd yn oed. Eisteddodd arno am eiliad, i'w gynhyrfu a'i gusanu. Yna, cyn pen dim, roedd Crid ar ei chefn. Roedd hi'n hoffi gorwedd reit 'nôl fel bwa a gadael iddo fe bwyso i lawr arni hi. Mwythodd Efan ei chluniau hi wrth iddi agor ei choesau. Doedd Efan ddim yn siŵr pam, ond roedd y weithred o ddal ei chroen hi'n galed a theimlo gwaelod ei phen-ôl yn ei wneud e'n barod ar gyfer rhyw. Gwthiodd ei hun i mewn iddi a dyna bleser oedd gwneud hynny, waeth bynnag â phwy. Un o bleserau amheuthun bywyd, meddyliodd. Roedd Crid yn go dynn, a'i chroen hi'n gafael yn gadarn am ei bidyn.

Roedd e'n mwynhau, ac yn synnu hefyd; doedden nhw ddim wedi gwneud y math yma o beth ers amser. Ac roedd e'n hapusach fyth o weld ei bod hithau'n mwynhau hefyd. Roedd hi'n grwgnach yn dawel, i rythm ei garu e. Gwthiodd, a gwthio eto a dechrau teimlo pleser yn codi'n uchafbwynt. Roedd y ffrithiant yn berffaith, a phob dim yn ddigon gwlyb. Gwthiodd yn galed, a swnian nes teimlo'r llif a gollwng ei gorff yn un swp arni. Llifodd rhyddhad dros ei ysgwyddau. Gallai deimlo ei bronnau ar ei wddf. Am eiliad, gallai deimlo ei gala'n dal i orwedd ynddi. Yna tynnodd ei gorff i ffwrdd. Ysai am gael gwerthfawrogi'r orgasm, ond chafodd e mo'r pleser hwnnw. Dim ond euogrwydd ddaeth gyda'r llif. Wrth iddo gyrraedd uchafbwynt gyda Crid, wyneb rhywun arall oedd wedi mynnu ymddangos o'i flaen. Wyneb Megan. Man a man iddo fod wedi'i shagio hi'r noson o'r blaen ddim. Cusanodd Crid ar ôl y weithred, ond roedd e'n teimlo'n ofnadwy. Trodd ar ei ochr wedyn. Estynnodd am hances bapur a sychu'i gala gludiog cyn taflu'r hances ar y llawr. Yna, gan geisio osgoi ei seicoleg ffycd-yp ei hun, gwthiodd cwsg i'w ben.

pennod naw

Rwyf yma o dan bwys piano.

Waldo Williams

Pump o'r gloch oedd hi ac roedd Efan wedi bod yn
eistedd yn ei gar ers meitin, yn gwylio'r byd yn mynd
heibio ym Mhenarth. Roedd e newydd fod yn tiwnio yn
nhŷ hen ffrind ysgol iddo. Wel, nid tŷ mewn
gwirionedd, ond fflat braf oedd yn edrych allan dros y
prom. Roedd y boi 'ma'n gweithio ym Mryste ond yn
byw yng Nghaerdydd, a Wil Young oedd ei enw.
Rhyfedd fel mae enwau'n dod yn enwog a'r holl beth yn
troi'n un jôc fawr. Wrth gwrs, doedd yr Wil Young hwn
ddim yn gallu canu, a doedd e ddim yn hoyw chwaith.
Roedd Wil wedi bod yn ddigon ffodus i ddechrau busnes
yn y byd dylunio cyfrifiadurol pan oedd y maes
hwnnw'n datblygu. Wil hefyd oedd y boi â'r ên fwyaf yn
hanes Cymru. Falle ei fod e'n *loaded*, meddyliodd Efan
wrth edrych ar y piano swanc roedd e wedi'i brynu i'w
gariad, ond bydde fe wastad yn hyll.

Wedi iddo gael ei dalu, dringodd y bryn yn ôl at ei
gar oedd wedi bod yn eistedd yn dwt mewn maes parcio
yn yr haul. Ac ar ôl cyrraedd yr hen Volvo, cafodd ei
lethu gan flinder. Blinder afiach ar un olwg, ond blinder
braf hefyd. Blinder sy'n deillio o eistedd mewn car

twym. Blinder sy'n egluro mewn llais dioglyd, uchel – paid â ffycin trial gyrru, ti'n mynd i graaaasho. Eisteddodd yno am ychydig a gwylio dynes dew yn symud ei thin ar hyd llwyfan ei *windscreen* e. Dilynwyd hi gan ŵr o'r un maint, ac yntau'n amlwg wedi'i phechu hi. Wrth i Efan ddylyfu gên a suddo i sedd y car, yn hapus i wylio gweddill y ddrama fach hon, fe ganodd ei ffôn.

Syllodd ar y rhif. Rhif preifat. Jobyn arall, falle. Gwasgodd y botwm ac ateb.

'Efan Harry?' holodd y llais ar ben arall y ffôn.

'Ie, shwmai!'

'*Oh, I'm afraid I don't speak Welsh. I'm phoning from the Heath Hospital.*'

'*Oh, right . . .*' meddai Efan. Oedd rhywbeth wedi digwydd i Crid? *Shit,* falle taw ei dad oedd e, falle ei fod e wedi cael damwain ar ei feic.

'*Is there somewhere you can go to sit down? Make yourself comfortable?*'

'*Yes,*' meddai Efan, '*I'm sitting down.*'

'*I'm afraid I've got bad news, Mr Harry, I'm afraid your mother passed away this afternoon.*'

'*My mother?*' holodd Efan, a'i lwnc yn sych. Ond roedd hi wedi dianc i Cowes, nag oedd hi? Teimlai chwys oer yn casglu ar ei dalcen. Oedd hi wedi dod yn ei hôl ond heb ddweud wrtho, tybed?

'*I'm sorry to have to inform you . . .*' Roedd hwn wedi gwneud hyn ganwaith o'r blaen.

'*I don't understand, is she, was she, is she back, back in Wales?*'

Oedodd y gŵr am eiliad. '*She was found by a neighbour Mr Harry, at her home.*'

'*Her home?*' Gartre gyda Dad? Doedd hynny ddim yn bosib.

'*Yes, Mr Harry, in Roath, this afternoon. A Mrs Puw found her. Popping in to feed the cats she was . . .*'

'*. . . the dogs,*' meddai Efan, gan sylweddoli'n sydyn beth oedd wedi digwydd.

'*Sorry?*' meddai'r gŵr.

'*The dogs, to feed the dogs. She hasn't got cats.*'

'*I see,*' meddai'r gŵr ar ben arall y ffôn.

'*Thank you, for . . . phoning. Great, yes. Thank you.*'

'*Of course,*' anadlodd y dyn yn hir. Nid dyma'r cyfan oedd ganddo i'w ddweud. '*Would you like to visit your mother, your mother's body tonight?*'

'Ummh,' meddai Efan gan geisio meddwl am ffordd o egluro, '*I'm afraid she isn't my mother.*'

'*You are her next of kin? Mr Harry, 9 . . .*'

'*. . . Yeah, yeah,*' torrodd Efan ar ei draws yn ddiamynedd, '*yeah, sorry mate, I am her next of kin but I'm her piano tuner . . . not her son.*'

'*Right,*' meddai'r gŵr. Gallai Efan glywed tinc yn ei lais oedd yn dangos ei fod e'n meddwl bod hyn yn rhyfedd iawn.

'*Ok, thank you. I'll probably visit. I don't know. I'll probably . . .*' Diffoddodd Efan y ffôn a'i daflu ar y gadair. Am eiliad, oedodd. Roedd e wedi teimlo rhyw ryddhad wrth ddeall nad ei fam go-iawn oedd wedi marw. Ac eto, pam ddylai hynny fod yn well? Roedd Gwen wedi mynd. Ar wahân i'r annwyd, doedd hi ddim yn ymddangos yn sâl. Ond roedd hi'n hen. Ai dyna oedd wedi digwydd? Oedd hi wedi marw'n naturiol o henaint? Am eiliad fach, doedd dim ots gan Efan sut roedd hi wedi marw. Y ffaith amdani oedd ei bod hi wedi mynd.

Eisteddodd mewn tawelwch am ychydig, ac yna, wrth feddwl amdani, llanwodd ei lygaid â dagrau. Teimlodd Efan rhyw alar rhyfedd yn llifo drosto, gan daenu pinnau bach dros ei gefn, a thynhau cyhyrau ei ysgwyddau. Bu bron iddo chwydu ar lawr y car, wrth drio cofio beth oedd y geiriau ola iddyn nhw eu dweud wrth ei gilydd. Doedd e ddim yn gallu cofio. Roedd e'n methu'n lân â chofio. Tagodd am eiliad, ond doedd dim cyfog yn dod lan. Daliodd ei ddwylo ar y llyw fel pe bai'n barod i symud y car. Roedd e eisiau gyrru'i ffordd drwy'r sefyllfa hon, eisiau anghofio ei fod wedi clywed y fath newyddion. Gafaelodd yn yr allweddi a thanio'r injan. Cyn dechrau symud, sylweddolodd nad oedd e wedi rhoi ei wregys amdano, ond doedd ganddo mo'r nerth i wneud dim ynghylch y peth. Pwysodd ei ben ar y llyw. Yna, yn ara deg bach, dechreuodd grio. Roedd y modur yn dal i ruo'n dawel wrth iddo grio'n sych ac yn swnllyd, fel dyn o'i go. Criodd am rai munudau nes ei fod e'n hician.

Ac yno, mewn maes parcio ym Mhenarth a'r haul yn chwydu'i olau drwy'r ffenestri, dechreuodd Efan deimlo pethau nad oedd e wedi eu teimlo ers amser hir. Teimlad o golled, teimlad o fod eisiau troi'r cloc yn ôl. Yna, daeth pang o euogrwydd drosto. Hwyrach y byddai ei dad ei hun yn yr un sefyllfa ymhen rhai blynyddoedd, yn gorfod dibynnu ar ryw berson *random* oedd yn glanhau'r tŷ fel ei *next of kin*. Roedd awydd arno ffonio'i dad, troi dalen newydd, ond gwyddai na fyddai'n gwneud hynny mewn gwirionedd. Doedd dim pwynt gadael i emosiynau'r foment gael y gorau o ddyn yn ei wendid, a gwneud iddo ddifaru wedyn.

Ar ôl deg munud o eistedd yno'n hel meddyliau,

gyrrodd Efan tuag at y ddinas. Anelodd yn syth am yr ysbyty, fel pe bai'n cael ei dynnu yno'n reddfol. Doedd dim dewis ganddo ond mynd. Ystyriodd anfon neges at Crid i ddweud bod Gwen wedi marw, ond gwyddai na fyddai'r peth yn golygu llawer iddi mewn gwirionedd. Wedi cyrraedd yr ysbyty, aeth ar ei union i'r ward gan esbonio pwy oedd e a gofyn a gâi weld y corff. Daeth nyrs ato ymhen rhai munudau a chynnig mynd â fe am baned. Teimlai fel rywun arall. Doedd e ddim yn cofio teithio o Benarth i'r ysbyty ond, yn sydyn, roedd e'n sefyll ar y ward.

'I'm fine,' meddai Efan yn oeraidd, 'I'd just like to see her really.'

'That's no problem,' meddai hi mewn llais afiach o addfwyn. 'Shall I come with you, Mr Harry?' holodd wedyn yn ei llais Horlicks.

Llais hala rhywun i gwsg weird oedd y llais hwn, meddyliodd Efan. Teimlai ei hun yn llithro i ryw berlewyg. Doedd dim ots be roedd hi'n ei ddweud, roedd e'n teimlo cwsg yn gafael yn ei amrannau ac yn eu tynnu nhw i lawr. Gallai hi fod wedi dweud, 'We must run, there's a fucking fire!' hyd yn oed, a byddai cwsg yn dal yn drech nag e. Shall I come with you, shall I come with you, shall I come with you? Cofiodd ei bod hi wedi gofyn cwestiwn.

'Yeah, great, cheers,' meddai Efan. Cheers? Pam ffyc 'nest ti ddweud dy fod ti am iddi ddod? Dwyt ti ddim am iddi ddod!

'Where are the dogs?' holodd Efan. As if byddai hon yn gwybod.

'Dogs? I thought they were cats,' atebodd, a golwg wedi drysu arni.

'*No, they're dogs,*' meddai Efan yn bendant.

'*I think they're with a friend . . . I don't remember his name.*'

I bet bo' nhw gyda'r cont o foi ddaeth â nhw 'nôl y diwrnod o'r blaen, meddyliodd Efan. Wrth iddo gerdded gyda'r nyrs sylweddolodd nad oedd wedi meddwl am ewyllys Gwen am un eiliad. Wel, dim tan nawr beth bynnag. Am ei marwolaeth hi, am ei cholli hi; dyna oedd wedi llenwi'i ben hyd yn hyn. Gweld ei heisiau hi, eisiau ei gweld hi. Tan nawr. *Fuck me*, Efan Harry, meddyliodd, *there is a heart in there after all*. Gwenodd ryw fymryn.

'*Why are you smiling? Happy memories?*' God, roedd hon yn fusneslyd.

'*No,*' meddai Efan, gan edrych yn alarus arni, '*wind.*'

Anwybyddodd y nyrs ef a meddyliodd Efan am y piano oedd yn eistedd yn unig mewn lolfa yn y Rhath. Ffyc, byddai'n berchen ar Steinway cyn hir. Cart o flaen y ceffyl, Efan bach, meddyliodd, cart o flaen y ceffyl. Mae pethau fel hyn yn cymryd ache i'w trefnu . . .

Yna, cyn iddo allu cofrestru'r peth yn ei feddwl, roedden nhw'n sefyll mewn ystafell fach yn llawn arogl pisho, disinffectant a dillad gwely glân.

'*Was she dead when she arrived at the hospital?*'

'*Yes, Mr Harry, found dead in her bedroom.*'

'*Right,*' meddai, cyn iddyn nhw fentro i mewn a hithau'n tynnu rhyw lenni. Edrychodd Efan ar y gwely. Roedd hi yno. Gwen. Fel rhyw fath o ffrwyth marw, neu gyw iâr marw mawr yn Tesco. Roedd hi'n wyn fel canol cneuen goco, ond edrychai'n heddychlon. Roedd hi yno, o'i flaen, ac eto doedd hi ddim yno chwaith. Roedd hi wedi hen fynd. Teimlodd ryw wacter enfawr yn cychwyn wrth ei draed ac yn dylifo drwyddo ar ruthr afiach Roedd hi wedi mynd. Hi a'i hiwmor. Hi a'i hegni a'i bwrlwm. Roedd hi wedi mynd, a gadael ei chorff ar ei hôl. Ond roedd hi hefyd wedi gadael Efan ar ei hôl.

'At least she went quietly, without pain.'

'But, surely, you can't be absolutely certain?'

'Well, she died in her sleep.'

'Without pain? How can you be sure of that?' meddai Efan.

'I'll leave you alone for five minutes,' meddai'r nyrs. 'I'll come and fetch you in five.'

Llais ffycin *irritating*, llais ffycin *irritating*, sgrechiodd Efan gyda'i lygaid.

Safodd Efan yno, gan syllu ar Gwen. Rhywffordd, er ei bod hi wedi marw, daliai i edrych yn osgeiddig. Tynnodd y llenni ar agor ychydig am ei bod yn teimlo mor gyfyng yno. Gwelodd Gaerdydd y tu allan i'r ffenest ar y pumed llawr. Yn eang, ac yn llawn ffycin celwyddau. Ceisiodd wneud synnwyr o bopeth oedd wedi digwydd. Syllodd yn ôl tuag at y gwely a theimlo fel petai'n edrych ar ei ffrind gorau. Gwyddai fod hynny'n beth hurt, yn beth amhosibl i'w deimlo tuag at hen fenyw, ond dyna'r gwir. Dechreuodd Efan deimlo'n sâl eto. Yr unig berson y gwyddai fyddai'n deall y fath deimladau rhyfedd, oedd hi. Gwen. Yn sydyn, cododd cyfog i'w wddf fel llif o lafa llosgfynydd. Rhedodd at y sinc gwyn a chyfogi fel ci. Llifodd y cyfog tywyll dros ei wefusau a thros ei ddwylo. Tagodd a phesychu a dechreuodd ei fol symud yn ôl ac ymlaen mewn brathiadau afiach. Yna, ar ôl chwydu ei berfedd i gyd i'r sinc, estynnodd am facyn papur o'r bocs gwyn ar y wal uwch ei ben a'i osod yn daclus ar ochr y sinc cyn golchi'i ddwylo. Teimlai'r dŵr yn braf ar ei ddwylo cynnes a gadawodd i'r tap redeg nes bod y dŵr yn glir a'r budreddi i gyd wedi mynd. Gwyliodd y dŵr yn ffycan off i rywle, heb orfod delio â'r hyn oedd yn digwydd yn yr ystafell hon. Aeth yn ôl at y llenni oedd yn ei wahanu fe a Gwen. Daliodd y defnydd gwyrdd yn ei law a'i dynnu'n ôl yn iawn. Edrychai Gwen yn gwbl heddychlon ar y gwely. Syllodd Efan arni am y tro olaf un, cyn cau'r llenni.

Llithrodd o'r ysbyty'n dawel fach, rhag i'r nyrs ddod yn ôl i'r stafell i bentyrru ystrydebau.

pennod deg

It is dreadful when something weighs on your mind, not to have a soul to unburden yourself to. You know what I mean. I tell my piano the things I used to tell you.

Chopin

'Na,' meddai Efan fel bachgen bach, 'nid 'na be sy wedi windo fi lan.'

'Wel, beth 'te?' holodd Crid wrth estyn am y llestri ar gyfer y prif gwrs. Pwysodd tuag ato a sibrwd rhag i'w gwesteion glywed, 'well bod e'n esgus da, achos so ti 'di gweud ffyc ôl drwy'r nos.' Cafwyd saib rhyfedd am eiliad wrth i Crid ddisgwyl i Efan ymateb. 'Ti'n gymaint o *knob*, ti'n gwbod.'

Knob? Grêt. Aeddfed iawn, meddyliodd Efan.

'Wel, gyda bo fi wedi bod yn yr angladd . . .'

'Ffyc mi,' meddai Crid wrth osod salad o fag ar bob plât a thaflu'r letys yn galed yn erbyn y platiau, 'dyna'r ffycin diolch wy'n ga'l, ife?'

'Shhd, myn,' geiriodd Efan, 'byddan nhw'n ffycin clywed.'

'*Fine.*'

'*Fine* be?' holodd Efan gan estyn am ddau o'r platiau

i fynd â nhw i'r stafell fwyta. Wrth iddo wneud gafaelodd Crid ynddyn nhw.

'Paid, so nhw'n barod 'to, mae'r *olives* yn y ffrij.'

'*Olives*? Ond fi'n casáu *olives*,' meddai Efan yn anghrediniol.

'Fi'n gwbod 'na, Efan, ond y *point* yw, mae Huw a Wendy'n dwlu arnyn nhw ar ôl byw yn Marbella.'

'Wy'n sori,' meddai Efan, ''na i drial neud mwy o ymdrech, ond wy'n nacyrd; nath heddi rili ffycan gyda pen fi . . .'

'*Fine*,' meddai Crid, 'jyst noson i godi dy galon di o'dd hon i fod, ond 'na fe, dyw'r peth yn amlwg ddim wedi gwitho. Syniad stiwpid oedd e.'

'Na, nid 'na'r pwynt,' meddai Efan, ond yn ei ben roedd e'n gweiddi; *fucking too right o'dd e'n syniad stiwpid! O'n i angen noson dawel ar ôl yr angladd. Angladd! Noson dawel fel sŵn marwolaeth. A wy'n ffycin gweld 'i hishe hi! Yn fwy na pe byddet ti'n diflannu oddi ar y ddaear 'ma! Ti'n ffycin wel deall shwt ma hynna'n gneud i fi deimlo?*

Ond ddwedodd e 'run gair.

'O'n i'n meddwl bydde fe'n itha *romantic*,' meddai Crid cyn anadlu'n drwm, fel rhyw ffurf ar hymffan.

Romantic? Gwahodd pâr arall i'r tŷ? Be ffwc sy'n rhamantaidd am hynny? meddyliodd Efan. A ta beth, roedd Huw Jeffries a Wendy yn mynd ar ei *tits* e. Roedden nhw wastad yn bennu lan yn siarad Saesneg gyda'i gilydd (er bod Wendy'n athrawes Gymraeg a Huw yn bennaeth Cysylltiadau Cyhoeddus i CWJO. Dim ond am ei fod e'n siarad Cymraeg roedd e wedi cael y swydd. Dyna'r adeg roedd hi'n addas i ddefnyddio'r gair – *knob*).

'Roedd hi'n hen,' meddai Crid, a'i llygaid hi'n fawr fel soseri, 'mae'r pethe 'ma'n digwydd. Ti'n gwbod bo

fi'n sori, ond mae'r pethe 'ma'n bownd o ddigwydd i rai
o dy gwsmeried di.' Syllodd Efan arni; doedd e ddim yn
ei beio hi am ddweud hyn. Doedd ganddi ddim syniad
yn y byd taw ffrind oedd wedi marw, ac nid cwsmer.
'Bydd raid i ti fagu croen eliffant. Fel doctor.'

Fel doctor, meddyliodd Efan, cyn estyn am y platiau
a'u cario nhw i mewn.

'Mae'r *smell* yn gorjys,' meddai Wendy a'i phenelin
yn pwyso ar y bwrdd.

'Wyt ti wedi bod yn rhan o'r broses goginio *then,
mate?*' holodd Huw yn dwatlyd.

'Ai *rhetorical question* yw hwnna?' holodd Efan ac fe
chwarddodd y pâr cyn tawelu.

*'No, seriously Huw, I'm sure I'm right. The smell from the
kitchen, it reminds me of . . . of . . . a meal we had with
Patrick and Mike.'*

Patrick and Mike. W! Edrychwch pa mor eangfrydig
ydyn ni, mae gyda ni ffrindiau *hoyw.*

'Yeah, maybe you're right. Probably one of Nigella's . . .'

'D'you think?' holodd Wendy. *'Which one? Oh, you
mean, I know, oh, what's it called now? Festival?'*

'Feast,' meddai Huw yn falch o wybod yr ateb cywir.

Ar y gair, daeth Crid â dysglaid enfawr o moussaka i
mewn a'i gosod yn ofalus ar y bwrdd.

'Moussaka,' meddai Crid, 'chi *yn* hoffi moussaka?'

'Told you,' meddai Wendy wrth Huw. 'Ydyn! Ni'n
dwlu arno fe. Diolch, Crid.'

Yr hyn oedd yn *weird* ac yn frawychus amdanyn
nhw'n siarad Saesneg oedd y ffaith nad oedden nhw'n
siarad mewn acen Seisnigaidd na phosh. Roedden nhw'n
siarad Saesneg yn Gymreigaidd reit. A doedd dim
rheswm iddyn nhw ddewis siarad Saesneg dros y

Gymraeg – doedd yr un ohonyn nhw wedi dechrau ar eu perthynas fel dysgwr.

Roedd Crid yn nabod Wendy o'r gwersi Pilates a'r ddwy'n nabod ei gilydd cyn hynny drwy nyrs arall oedd yn gweithio yn yr ysbyty. Doedd dim modd dianc, felly; byddai hon yn rhan o fywydau Efan a Crid os oedd Efan yn ei hoffi hi ai peidio. Roedd Crid yn dwlu ar Wendy, ond roedd rywbeth braidd yn rhy *gywir* yn ei chylch i apelio at Efan. Roedd hi'n gwisgo rhyw ddilledyn Jaegar heno (yn ôl y sgwrs wrth iddyn nhw gyrraedd), rhywbeth oedd lot yn rhy henaidd iddi beth bynnag.

Wrth i Crid roi llwyaid hael o moussaka ar blât pawb, penderfynodd hi y dylai siarad. Doedd neb arall yn gwneud, felly gwell fyddai llenwi'r tawelwch.

'Ac mae Siwan yn cysgu'n iawn?'

'Fel y boi,' meddai Wendy, 'ni'n dilyn *regime* Gina Ford.'

'*Regime?*' holodd Efan. 'Swno' bach fel Hitler Youth.'

Edrychodd Crid yn gas ar Efan, a'i llygaid yn dweud – *fucking wise up*. Edrychodd Huw ar Efan hefyd ac anwybyddodd Wendy'r holl beth.

'Ar ôl i ni ei threinio hi, cwmpodd popeth i'w le. Gymerodd e amser. Gwely bob nos 'run pryd yn union, brecwast 'run pryd, *to the second*. A ti'n gweld, ar ôl tam'bach, maen nhw'n dechre creu trefn iddyn nhw'u hunen.'

'Mae'n rhedeg aton ni gyda'i phyjamas nawr, yn dweud "Amser gwely, Dadi!"' bloeddiodd Huw.

Ffyc mi, meddyliodd Efan, nid ci yw Siwan. A beth bynnag, nagyw e'n rhan o'r profiad? Bod plant yn strancio moyn aros lan, yn sgradan os nad oedd Mam yn dod?

'*She's down for Howells School now too, isn't she?*'

meddai Wendy wrth Huw er mwyn cael cyd-syniad ar y mater.

Nodiodd Huw ei ben. Wancyr. A doedden nhw ddim hyd yn oed yn gweld problem gyda hyn, roedd hynny'n amlwg. Er bod Huw yn hanu o Lanelli'n wreiddiol, roedd e bellach yn aelod cyflawn o grachach Caerdydd. Mab i ddyn gwneud basgedi cocos a gwerthu stwff ym marchnad Abertawe oedd Huw, a drycha arno fe nawr, meddyliodd Efan.

'Bydd angen i *chi* feddwl am ga'l rhai cyn hir, ei?' meddai Wendy gyda winc.

Edrychodd Efan draw at Crid, a gwridodd hithau wrth dynnu carreg olewydden ddu o'i cheg.

'W, lyfli moussaka, Crid. Ife *recipe* Nigella?' gofynnodd Wendy.

'Nage,' meddai Crid, 'BBC *food website*.'

Eisteddodd pawb a bwyta, ac fe herciodd y sgwrs yn ei blaen nes bod Efan yn dechrau teimlo y byddai hunan laddiad yn opsiwn cyffrous i orffen y noson. Wrth i bawb grafu eu llwyau yn erbyn y potiau pwdin, yn chwilio am ragor o *mousse* siocled, penderfynodd Wendy agor ei hen geg.

'Efan, *how about* bo' ti'n chware rhwbeth bach i ni ar y piano?'

Gwenodd Efan yn gloff, 'Ym, na, sa i'n credu. Dim heno.'

'*Come on, mate*,' meddai Huw gan orddefnyddio'i ddwylo i geisio'i berswadio, 'bydde fe'n lyfli i glywed tiwn bach ar yr *honky-tonk*.'

Teimlodd Efan ei law'n cau'n dynn am y potyn *mousse* siocled a dychymygodd daflu'r llestr yn syth at Huw. Ond cyn iddo gael cyfle i wneud, daeth Crid i'r adwy.

'I fod yn deg, fi'n credu fod Efan wedi blino. Mae e wedi bod mewn angladd cwsmer bore 'ma.'

'*Oh, sorry, mate. Fair enough*,' meddai Huw cyn i bawb dawelu, a dim ond clecian llwyau i'w glywed wedyn wrth iddynt orffen eu pwdin.

Doedden nhw ddim yn bobl gas, roedd hynny'n wir; a bod yn deg, roedd Wendy'n dda wrth Crid, yn cofio'i phen-blwydd hi bob tro. Roedd hi hyd yn oed yn dod â hampyr Dolig i'r tŷ bob blwyddyn, oedd yn fwy nag roedd Efan yn ei wneud. Ond roedd cymaint o bethau yn mynd ar ei nerfau yn eu cylch nhw. Roedd rhywbeth sychu-pen-ôl-gyda-toilet-roll-Marks-and-Sparks-aidd yn rhan o bob gair roedden nhw'n ei yngan.

Gwenodd Crid ar Efan, rhyw olwg oedd yn dweud – diolch am beidio bod yn *ormod* o idiot heno.

*　　　*　　　*

Wrth iddyn nhw orwedd yn y gwely a'u pennau'n llawn gwin a dwyieithrwydd, trodd Crid at Efan.

'Fi'n falch dy fod ti 'di joio heno.'

Y? Helô? Stwffio syniadau i ben rhywun fel stwffio darn o arlleg i fol olewydden.

'Ie, grêt,' meddai Efan er mwyn cael bywyd hawdd. Doedd dim pwynt dadlau. Dim ond yr angladd oedd ar ei feddwl e nawr.

Meddyliodd am y bobl oedd yno, yn y capel. Roedd e wedi disgwyl rhywbeth ychydig yn fwy ffansi, ac wedi disgwyl gallu adnabod ei merch hi, ond wnaeth e ddim. Sylwodd ar Trefor ac ambell aelod arall o'r côr, ond doedd e'n nabod fawr neb arall. Roedd e'n cofio teimlo'n falch bod y lle'n eitha llawn. Yn barchus felly.

Roedd yr emynau'n iawn hefyd, a'r pregethwr yn dderbyniol, ond teimlai Efan fel petai rhywbeth ar goll. Am ryw reswm, roedd e wedi disgwyl y byddai'r côr yn canu yn yr angladd, ond wnaethon nhw ddim. Cân fel 'Y Tangnefeddwyr' efallai, ond ddaeth hi ddim. Wrth iddo eistedd yno, roedd e wedi dod i sylweddoli mai'r unig beth oedd ganddo'n gyffredin gyda'r holl hen bobl ddosbarth canol oedd yn bresennol, oedd Gwen. A'r hyn oedd wedi eu gwneud nhw'n agos oedd y ffaith nad oedden nhw'n teimlo eu bod nhw'n perthyn i'r bobl yma o gwbl.

Daeth ambell un ato ar ôl yr angladd a dweud eu bod nhw'n gwybod pa mor agos oedd Gwen at Efan. Dywedodd rhai ei bod hi wedi sôn amdano wrthyn nhw, a gollyngodd ambell un arall hint cynnil, cynnil ynglŷn â'r ewyllys. Holodd ambell un am ei fanylion ar gyfer tiwnio pianos hefyd. Ond ar y cyfan, roedd yr angladd wedi bod yn brofiad gwrthun iddo. Doedd e ddim yn nabod fawr neb, a'r unig berson roedd e am ei weld oedd Gwen. Heb os, byddai hi wedi rhoi rhyw sbin bach doniol ar yr holl beth.

Gorweddodd Efan gan droi'r pethau hyn yn ei feddwl. Doedd e ddim yn grac gyda Crid am drefnu'r pryd bwyd; gwyddai taw ei les e oedd ganddi mewn golwg. Ond wrth iddo orwedd wrth ei ochr yn y gwely, teimlai'n bell iawn oddi wrthi. Doedd ganddi ddim syniad beth roedd e wedi'i deimlo yn yr angladd heddiw. Cwsmer oedd Gwen yng ngolwg Crid, ond roedd hi wedi newid i fod yn berson i Efan, a hynny ers cryn amser bellach. Yn llawer mwy na jyst unrhyw berson hefyd. Am eiliad ystyriodd egluro wrth Crid yr hyn roedd e'n ei deimlo, ond yna calliodd. Roedd e wedi dweud *fuck-all* o ddim yn y gorffennol, felly pam dechrau nawr?

*   *   *

Gorweddodd Crid yno'n hel meddyliau hefyd. Roedd y pryd bwyd wedi mynd yn dda, ac Efan wedi bod yn eithaf annwyl, ar wahân i'r ffaith iddo fod braidd yn dawedog a difrïo dull Wendy a Huw o fagu Siwan. Ond fel 'na roedd e weithiau. Roedd hi wedi meddwl gofyn i Pont a'r Fawd a hoffen nhw ddod draw, ond tybiai Crid ei bod braidd yn gynnar ar ôl yr holl fusnes 'na yn y clwb nos. Roedd yn rhaid iddi hi dderbyn y byddai hynny'n cael ei sortio cyn hir. Doedd ganddi mo'r hawl i ddweud gair wrth Efan. Wedi'r cyfan, byddai e'n torri'i galon nad oedd Pont wedi gallu dweud wrtho'i hunan. A beth bynnag, roedd gan Crid bethau llawer mwy pwysig i'w ddweud wrtho heno.

'Ti'n gwbod 'nath Wendy holi amdanon ni'n ca'l plant . . .' meddai hi'n betrusgar.

'Ydw,' meddai Efan. Gallai Crid weld bod blinder wedi ei lethu. 'O, *no way*, sori Crid, *no way* heno. Fi'n ffycd.'

'Fi'n gwbod,' meddai Crid.

'Ond,' daliodd Efan law Crid, 'fi'n gwbod bydd e'n digwydd rywbryd, mae'n rhaid i ni jyst fod yn amyneddgar, ie?'

Pwysodd Crid tuag at Efan, cyn eistedd i fyny yn y gwely.

'Wel, actiwali, bydd dim angen i ni heno . . . wel, dim os nagyn ni moyn, achos fi'n feichiog.'

Edrychodd Crid yn ymbilgar ar Efan a golau'r lamp yn sgleinio'n euraidd dros y ddau yn y gwely.

'Wyt ti?'

'Ydw, sdim sbel 'di bod 'to, ond wy yn feichiog,' meddai Crid a'i bochau hi'n llosgi.

'Ffyc,' meddai Efan gan orffwyso'i ben yn ôl ar y gobennydd. Yna, fel petai'n cofio mai'r peth naturiol i'w wneud fyddai rhoi cwtsh i Crid, dyna wnaeth e.

Dechreuodd Crid grio.

'Be sy'n bod?' holodd Efan. 'Mae e'n newyddion da.'

'Wy'n gwbod,' meddai Crid gan feichio crio, 'ond mae'n lot i gymryd mewn, ar ôl popeth.'

Wylodd Crid yn uchel, mewn hapusrwydd a dryswch, heb syniad yn y byd pryd fyddai'r amser cywir i egluro'r cyfan wrth Efan.

*   *   *

Daliodd Efan hi, gan wylo ei hun. Yn dawel, i mewn i'r gobennydd. Wylodd dros Gwen, ac wylodd am nad oedd e'n teimlo fel y *dylai* deimlo ar ôl clywed un o bethau pwysicaf ei fywyd. Am ryw reswm, wrth glywed y newyddion, roedd e wedi teimlo rhywbeth tebyg i siom.

pennod un ar ddeg

Life is like a piano. What you get out of it depends on how you play it.

Tom Lehrer

Nos Wener arferol yng Nghaerdydd oedd hi. Roedd Pont yn ôl yn gweithio yn yr ysgol, a Jiv ac Efan yn y Cornwall yn aros amdano. Yn ôl eu harfer, roedd Jiv wedi yfed peint o Carling ac Efan wedi yfed peint o Guinness erbyn i Pont gyrraedd. Ond fe gyrhaeddodd ar ôl ychydig amser.

'Iawn, bois?' meddai, heb ddisgwyl ymateb.

Gwenodd y ddau arall. Doedden nhw ddim wedi gweld ei gilydd ers tro. Wrth gwrs, yn y cyfamser, roedd Efan wedi anfon neges destun at bawb i ddweud bod Crid yn feichiog, ac roedd yna deimlad go newydd yn yr aer. Er hyn, doedd dim byd yn ddigon ysgytwol i wneud iddyn nhw ganslo sesh nos Wener. Roedd Crid wedi mynd at Cynyr ei brawd a'i deulu am benwythnos, ac roedd y tri hyn yn barod am sesiwn gachu pants.

Eisteddodd pawb yno am ychydig yn yfed, ac yna cyhoeddodd Pont, 'Wy ffansi mynd i ryw glwb heno, be chi'n weud?'

Teimlai Efan yn rhyfedd. Fel petai wedi mynd yn rhy

hen i 'styried fynd i glwb nos ac yntau'n mynd i fod yn dad.

'Clwb Ifor?' holodd Jiv.

'*Fancy shag*, ife?' holodd Pont yn chwareus.

'Na. Mae fi a *bird* fi'n *serious* nawr.'

Mor *serious* â chwe pheint o Carling, meddyliodd Efan. Bydd e'n ffwcio rhywun arall heno, garantîd. Dim ond fe fyddai'n gwneud y fath beth, dro ar ôl tro. Diolchodd fod Pont ac yntau'n wahanol. Efallai eu bod nhw hefyd yn meddwl yn frwnt, ond peth arall oedd ei wneud e. O leia roedd modd dibynnu arnyn nhw.

'Gyda llaw,' meddai Jiv, 'cyn i fi anghofio. O'n i mewn gig neithiwr gyda bois o'r gwaith.'

'Pwy oedd yn whare?' holodd Efan gyda ryw ffug-ddiddordeb.

'Astronotiaid a snotiaid neu rywun,' meddai Jiv a golwg hollol ddryslyd ar ei wyneb, 'ond roedd lôds o côc 'na, so roedd e'n ocê.'

'O reit,' meddai Efan gan lowcio ychydig rhagor o'r Guinness. Roedd e wedi sylwi bod Jiv yn sôn yn llawer rhy aml am côc fel rhywbeth oedd gyfystyr â pheint o gwrw.

'Roedd y band *shit* arall 'na'n whare 'fyd. Chi'n cofio? Pwy yw'r Pidyn neu rywbeth,' meddai Jiv.

Pidyn Pwy, actiwali, meddyliodd Efan, ond doedd e ddim am ddatgelu ei fod e'n cofio'n iawn ac wedi eu gweld nhw'n perfformio eto ers hynny.

'Ta beth, be o'n i moyn gweud oedd, 'na pwy oedd 'na oedd Olwen.' Hed-bytiodd Jiv yr awyr tuag at Efan gan ddynodi – y ferch o't ti'n arfer mynd mas 'da hi.

'Olwen *off-her-rocker*?' holodd Pont. 'Ydy hi'n byw yng Nghaerdydd nawr? *Get in there*, Efan!'

Chwarddodd Jiv a Pont am eiliad.

'Ydy,' meddai Efan, 'weles i hi mas y noson o'r blaen, ffyc o fès yn dal i fod arni.'

Gwenodd Pont a Jiv gyda golwg 'o ie?' dros eu hwynebau seimllyd nhw.

'Ffyc off myn, bois, wy'n mynd i fod yn dad.'

Wrth i Efan ddweud y geiriau hyn, teimlodd ryw chwys oer yn treiddio i lawr ei gefn. Roedd yr holl beth yn ormod iddo. Llowciodd ei ddiod a phenderfynu y byddai'n cael sesh a hanner heno. *Fuck it*. Doedd e ddim yn dad *cweit* eto.

*　　　　*　　　　*

Erbyn hanner awr wedi deuddeg roedd y tri yn Clwb Ifor. *As per fuckin' usual*. Roedd Efan wedi ei gwneud hi'n ddigon clir ei fod am fynd i Dempseys, ond i Clwb ddaethon nhw yn y diwedd. Fel tri hen smel yn sgwlcan o gwmpas y lle am sgraps. Roedd Jiv wedi'i heglu hi i'r ail lefel ac roedd Pont ac Efan yn eistedd lawr llawr. Meindio'i fusnes roedd Efan, meindio'i fusnes wrth lowcio dybl Jack Daniels. Cyn iddo sylweddoli, roedd Pont wedi diflannu am bisiad. Yn wahanol i'r arfer, dechreuodd fwynhau'r teimlad o eistedd mewn clwb nos tywyll ar ei ben ei hun. Yna'n sydyn, sylwodd nad oedd ar ei ben ei hun o gwbl. Trodd yr ystafell wrth iddo droi'i ben.

'Megan,' meddai.

'Paid â swnio mor *fuckin' surprised*,' meddai hi. 'Ti'n gwbod ti moyn fi.'

Beth ffwc oedd hyn? Roedd e'n meddwl bod hon wedi cael y neges y tro diwethaf. Roedd e wedi bod yn glir ac yn deg, a *for the record*, doedd yr agwedd newydd yma ddim yn ei siwtio hi chwaith. Rhyw fath o ymdrech i fod yn *sex kitten*, rhyw agwedd ffwrdd-â-hi henaidd. Doedd e ond wedi'i ffansio hi pan oedd hi'n ferch ifanc annwyl.

'Megan, gwranda . . .'

'Os nei di ddim, weda i wrth Mam bo' ti 'di trial e 'mlaen pan o't ti yn y tŷ yn tiwno . . .'

Doedd Efan ddim yn siŵr iawn beth oedd yn digwydd. Pam bod yr holl fenywod nyts 'ma'n ei fygwth e? Teimlai'n sâl.

'Ti *out of order*.'

Dechreuodd Megan chwerthin yn iach. Edrychai'n ddiniwed eto. Ai jôc oedd y cyfan? Doedd e ddim yn siŵr rhagor. Roedd hi'n llwyddo i ffycio gyda'i frên e. Pwysodd tuag ato a siarad at ei wddf, ei gwefusau'n cyffwrdd â'i groen bob yn hyn a hyn. Crynodd mewn pleser wrth iddi ddweud, 'Fi wedi sylwi bo' ti yma ers hanner awr.'

Ac yna, wrth i Efan godi'i ben i ymateb, roedd hi wedi diflannu. Nawr ei bod hi wedi mynd, roedd e'n dechrau teimlo'n horni. Ar yr un gwynt, teimlai'n euog hefyd. Teimlai'n gymysgfa o ddryswch a dyhead. Edrychodd o'i amgylch amdani. Dim golwg. Yna, daeth Pont yn ôl o'r tŷ bach ac aeth y noson yn ei blaen.

Trodd Pont at Efan ar ôl ychydig. Dros gerddoriaeth Saesneg Clwb Ifor Bach, gwaeddodd yng nghlust Efan.

''Da fi rwbeth i weud.'

'Beth?' holodd Efan dros sŵn '*Hi Ho Silver Lining*'.

'Ie,' meddai Pont gan lyncu ei boer, 'fi dan y fawd.'

Chwarddodd Efan. Rhyw chwarddiad *I-fuckin'-knew-that-one-for-free-mate*.

'Na,' meddai Pont, 'fi *seriously* yn nawr. Fi a Anwen, ni 'di dyweddïo.'

Doedd Efan ddim yn deall pam nad oedd Pont wedi dweud yn gynt. Gwenodd arno, a'r gerddoriaeth yn byddaru'i glustiau. Yna, wedi'r eiliad o hapusrwydd naturiol, teimlodd ddiflastod yn nyfnderoedd ei fol. Doedd e ddim yn cael teimlo hapusrwydd pur dros ei ffrind oherwydd bod ffeithiau'n cymylu hynny a'r gwir yn mynnu dod i'r meddwl. Ac eto, mewn ffordd, roedd e'n teimlo ryw gymaint o ryddhad. O glywed y newyddion, roedd hi'n amlwg fod gan Y Fawd neges glir i'r byd. Roedd hi wedi stopio ffycan ambyti. Am y tro, o leia. Ceisiodd Efan gofleidio Pont ond daliodd Pont e 'nôl. Chwarddodd Efan am eiliad ac anadlodd Pont yn ddwfn. Roedd e'n edrych fel pe bai wedi bod yn poeni sut ymateb fyddai'n ei gael gan ei ffrind. Ond cyn i Efan gael amser i feddwl am hynny, gwenodd Pont, cydio yn ei fraich a dechreuodd y ddau bransan o gwmpas y lle fel ffyliaid. Canu aflafar hefyd:

> And it's hi-ho silver lining,
> anywhere you go now, baby,
> I see your sun is shining,
> but I won't make a fuss, though it's obvious.

Aeth Pont i'r tŷ bach eto ac aeth Efan at y bar. Pont a'r Fawd wedi dyweddïo, meddyliodd, wel ffyc mi. Wrth iddo sefyll yno, sylwodd fod Megan yn sefyll mewn ciw arall am y bar. Doedd hi ddim wedi'i weld e eto. Trodd ei phen ac edrych arno, a chofiodd Efan pam roedd e wedi ei hoffi. Roedd hi mor dwt ac mor ddi-glem, ac eto roedd hi'n rhywiol iawn. Daeth ei dro wrth y bar a holodd am wisgi dwbl a dau beint o Guinness. Cleciodd y wisgi a mentro tuag ati wrth aros i'r Guinness gyrraedd. Ffyc it, meddyliodd Efan, wrth i'r wisgi gydio yn ei ben a'i falu yn erbyn y bar. Ffyc it. Cyn iddo'i chyrraedd hi, gwthiwyd y Guinness tuag ato. Talodd, gan gadw llygad arni rhag ofn iddi ddiflannu eto. Daliodd y ddau Guinness oer yn ei ddwylo fel dau wn.

'Helô Miss,' meddai gan wenu arni.

'Be ti moyn?' holodd Megan, wedi newid ei thacteg yn llwyr. Roedd hon fel pob merch arall, yn gwybod yn iawn sut i droi pob dim i'w melin ei hun.

'Dim, jyst paso.'

'Be? Paso gyda dau beint o Guinness? Dim ond y lle cotiau a'r *exit* sy ffor' 'na.'

Rhoddodd Efan y Guinness i lawr ar y bar a phwyso tuag ati. Ffyc it, meddyliodd a'i chusanu hi'n hir. Ymatebodd hithau'n go glou. Ddaeth dim byd i'r meddwl wedi hynny, dim ond M.O.M.Y.Ff.G. nawr. Dyma'r ddau yn sleifio o Clwb gan adael dau Guinness oer ar y bar ac un athro'n crio ar y tŷ bach.

'Allwn ni fynd i tŷ fi,' meddai Megan, yn amlwg yn gobeithio am yr un peth ag Efan. Trodd y wisgi yn ei ben.

'Wyt ti'n nyts?' meddai'n feddw gaib. 'Nôl at dy fam a dy dad di?!'

'Ti'n *fucked*,' meddai hi gan chwerthin.

'Nadw,' gwadodd Efan ac fe gerddodd y ddau fraich ym mraich am ychydig ar hyd Womanby Street cyn croesi tuag at y castell.

'Ni'n mynd y ffordd *wrong* i gael tacsi. Sdim pwynt mynd ffordd hyn,' meddai Megan wrth iddyn nhw ymbalfalu heibio'r castell gan anelu at ardal Canton. 'Lle ti'n byw? Ewn ni fanna.'

Pwysodd y ddau yn erbyn waliau'r bont am eiliad a chafwyd saib hir. Syllai'r *gargoyles* a'r anifeiliaid i lawr arnyn nhw. Be ffyc ti'n neud, Efan? geiriodd y *gargoyles*. Cusanodd Megan Efan wedyn a daeth ei thafod i'w geg yn gynnes ac yn feddal. Roedd hi'n drewi o hufen iâ a gwaed. Ac roedd hi'n gynnes. Yn gynnes, gynnes. Roedd rhyw arogl o'i chwmpas oedd yn gwneud i Efan deimlo ei fod e'n moyn ei llyncu hi'n gyfan. Gwthiodd ei gorff yn ei herbyn hi a daliodd hithau yn ei gala drwy ei jîns. Ffyc, roedd hynny'n braf.

'C'mon,' sibrydodd hi yn ei glust. Roedd merched yn bitshys, y ffordd roedden nhw'n gwybod sut i wneud hynny. 'Ewn ni 'nol i dy le di, ife?'

'Na wedes i,' meddai Efan yn bwdlyd. Tynnodd Megan 'nôl.

'So ti'n dal i weld y ferch 'na o'dd yn y gig, wyt ti?'

Syllodd Efan ar Megan yn anghrediniol. Roedd hon yn meddwl taw Olwen oedd ei gariad.

'Beth? Nadw!'

'Do'n i ddim yn meddwl bo ti; weles i dy ffrind di, yr un sy'n meddwl bod e'n smart, weles i fe neithiwr yn copo hi.'

Pwy? Jiv? Twat. Ffycin twat. Doedd e ddim yn becso mo'r ffyc ei fod e wedi gwneud, ond roedd Jiv yn gymaint o dwat.

'O *shit*, o't ti ddim yn gwbod . . .'

Dyma fy nghyfle, meddyliodd Efan. Dyma fy nghyfle i chwydu'r gwir ar y stryd, neu fy nghyfle i edrych yn ypsét a ffwcio hon er mwyn anghofio popeth am noson arall. Daliodd yr eiliad yn ei feddwl. Edrychodd arni, gan godi'i law at ei hwyneb a'i mwytho hi am eiliad.

'Edrych Megan, fi'n credu bo' ti 'di camddeall. Mae

cariad 'da fi, nid Olwen. Rhywun arall . . .' Edrychai'r byd yn flêr o bersbectif meddw Efan, ac eto, am unwaith yn ei fywyd, roedd popeth yn weddol glir yn ei ben. 'Ni'n byw da'n gilydd ers *ages*, a . . .'

'So?' meddai Megan gan gusanu Efan fel bitsh front. O ffyc, roedd e wedi gwneud y dewis cywir, ond roedd hi wedi ei anwybyddu. Roedd hi'n bryd dewis eto, ond roedd e'n mwynhau'r gusan ormod i feddwl am hynny. Cusanodd hi'n wyllt a mwynhau. Cusanu eto, ei thraflyncu hi, ei bwyta hi . . . cyn tynnu 'nôl.

'. . . a mae hi'n dishgwl babi,' meddai Efan yn sydyn.

Oedodd Megan. 'Be? Babi ti?'

Cwestiwn ffycin stiwpid. 'Ie babi fi, *who else's fuckin' baby*?'

Edrychai Megan yn ddagreuol. Tynnodd ei chorff yn ôl. Ac wrth iddi wneud hynny, dechreuodd Efan ddyheu amdani eto. Ond erbyn hynny roedd hi'n rhy hwyr.

Syllodd y ddau ar ei gilydd. Y naill a'r llall yn deall taw dyna ddiwedd y daith. *The end.* Doedd 'run o'r ddau yn gwybod beth i'w ddweud, ac roedd golwg ddiamynedd ar wyneb Megan.

Roedd Efan yn falch o'r hyn roedd e newydd ei wneud, ac eto roedd yr awydd yn dal i'w gnoi. Peidio gallu cael rywun oedd y peth mwyaf dengar yn y byd.

'*Fuck you,*' meddai Megan a'r dagrau'n cronni. Rhedodd i gyfeiriad canol y ddinas. Gwyddai Efan taw'r peth cywir i wneud fyddai gweiddi ar ei hôl, gwneud yn siŵr ei bod hi'n neidio i mewn i dacsi, a thalu am y tacsi hyd yn oed. Ond wnaeth e ddim. Taro'i gefn yn erbyn wal y bont wnaeth e, cyn troi a syllu ar y *gargoyle* agosaf. Llethwyd e gan ei feddwdod.

'Ar be ffyc ti'n ffycin edrych, twat?'

Ciciodd y wal â'i droed nes ei fod yn gwingo.

Ar hynny, canodd y ffôn. Pont oedd yno. Atebodd Efan.

'Pont.'

'Efan,' meddai Pont yn gandryll, '*you loser*, lle ffyc wyt ti?'

pennod deuddeg

**Mae'r felan sy'n ei biano
yn ddagrau hardd i'w gur o.**

Dafydd Pritchard

Menywod noeth ymhob man. Roedd Crid yn mwynhau'r teimlad hwn. Roedd hi'n feichiog ymhlith menywod. Ben bore daeth y syniad i'w phen y dylai hi fynd i nofio. Llifodd atgofion yn ôl i'w phen wrth iddi dalu a theimlo arogl clorin y pwll yn llenwi pob twll a chornel ohoni. Bron fel petai'r clorin yn glanhau'r enaid. Atgofion plentyndod oedden nhw. Byddai wrth ei bodd yn dod i nofio gyda'i mam erstalwm. Dim ond hi a'i mam fyddai'n cael dod i ystafelloedd newid y menywod. Byddai ei thad a Cynyr yn newid i'w tryncs yn lle'r dynion cyn neidio i'r pwll ymhen dim. Ond byddai Mam a Crid yn aros yn yr ystafell newid am yn hirach. Dyna brofiad cyfrin oedd cael gwneud hynny. Mwy cyfrin o lawer na mynd i'r capel.

Ac yno, cafodd hi gyfle i weld siâp cyrff menywod am y tro cyntaf. Boliau crwn a melfed. Llinellau mynyddog a *stretch marks*. Blew cedor twt a blew cedor blêr. Cyrff nad oedden nhw ar gael i'w gweld yn unman ond yn ystafelloedd newid y pwll nofio.

Newydd orffen ei shifft nos oedd hi, ac wedi dod i

nofio i olchi'r gwaith o'i gwallt. Dim ond ugain hyd y pwll roedd hi wedi'i wneud; wedi'r cyfan, doedd hi ddim am roi ei chorff dan straen gyda'r sgan tri mis yn digwydd cyn hir. Gallai weld ymchwydd bychan yn ei bol wrth iddi dynnu'i gwisg nofio yn y gawod. Doedd hi ddim yn siŵr a oedd hi'n dychmygu'r ymchwydd, bron iawn. Gallai ei bola chwyddo i'r maint yma ar ôl cyrri, yn hawdd. Golchodd ei gwallt yn gyflym, cyn taenu rhyw *shower gel* rhad dros ei chorff. Yna, ar ôl golchi'r cyfan i ffwrdd o dan y llif, estynnodd am dywel. Sychodd pob modfedd o'i chorff cyn camu o'r ciwbicl gan adael sŵn crio merch fach ar ei hôl. Y ferch fach yn y ciwbicl drws nesaf oedd wedi cael shampŵ yn ei llygaid.

'*Aw Mam, you gor it in my eyes!*' Sgradan a sgradan. Oedd, roedd hynny'n brofiad afiach.

Sbeciodd Crid rownd y gornel a chyrraedd man bach tawel. Agorodd ei *locker* gyda'r allwedd oedd yn sownd o amgylch ei garddwrn ac estyn am ei dillad. Gwyliodd ambell hen fenyw yn mynd o gwmpas eu pethau. Roedden nhw'n brydferth, yn fenywaidd, er bod nifer ohonyn nhw'n dew ac yn fflopi i gyd. Rhywsut roedd ystafelloedd nofio yn troi pob menyw yn fenyw brydferth a naturiol. Sylwodd un menyw fod Crid yn syllu. Roedd yna drefn i'w dilyn mewn ystafelloedd newid. Os oeddet ti'n sensitif ynglŷn â'r peth, roeddet ti'n codi dy dywel yn gyflym ac yn diflannu i giwbicl sychu er mwyn newid. Os oeddet ti'n cŵl, roeddet ti'n syllu'n ôl ac yn gwenu. Doedd hon ddim yn cŵl.

Wrth dynnu'i jîns amdani a'i chroen hi ryw fymryn yn llaith ac yn styfnig, teimlai Crid falchder ei bod hi bellach yn feichiog. Roedd Janet a'r efeilliaid yn dod i Gaerdydd fory ac roedd y ddwy am fynd i Mothercare.

Byddai'r pedwerydd ar y ffordd whap i Janet a Cynyr, ac mae'n bosib y byddai'r ddwy yn gorfod dadlau dros bwy fyddai'n cael hen ddillad babi Crid. Gwyddai Crid nad oedd yn syniad da i rannu'r ffaith dy fod ti'n feichiog gyda phobl cyn i'r tri mis cyntaf basio, ond roedd yn rhaid i Crid rannu'r newyddion gyda Janet.

Gwridodd wrth deimlo mor fenywaidd, a chribodd ei gwallt byr gyda'i dwylo. Doedd hi ddim wedi dweud y gwir wrth Efan eto ond, erbyn hyn, doedd hi ddim yn siŵr a fyddai angen iddi ddweud. Roedd Ed yn hapus gyda'r holl beth; roedd y boi'n angel. Efallai, pe bai popeth yn cwympo i'w le fel tic y cloc, fyddai dim angen dweud gair wrth Efan, byth. Wedi'r cyfan, pam fyddai angen? Nhw ill dau fyddai'n magu'r un bach. Fel pâr. Ni allai Crid weld unrhyw ddiben mewn dweud wrtho, yn enwedig ag Efan yn bihafio mor hyfryd tuag ati yn ddiweddar. Roedd e fel dyn newydd.

Wrth iddi dynnu'i chrys-t dros ei phen, teimlodd Crid ryw bang o euogrwydd. Dechreuodd feddwl am yr holl bethau doedd hi ddim yn eu rhannu gydag Efan rhagor. Un peth oedd mater y babi, ond mater arall eto oedd rhywioldeb Pont. Doedd hi'n dal ddim wedi gallu trafod hynny gydag Efan o gwbl. A bod yn deg, roedd hi wedi addo na fyddai'n dweud gair. Rhyfedd fel roedd meddwl am gelwyddau'n dwyn i gof gelwydd arall. Roedden nhw'n cyniwair yn ei phen fel darnau o wallt o gwmpas y plwg yn y gawod.

Ac eto, wedi iddi glywed am ddyweddïad Pont a'r Fawd, doedd hi ddim yn siŵr a oedd hi wedi breuddwydio'r holl beth am y clwb nos. Efallai fod Pont yn ddeurywiol, meddyliodd neu, ar y llaw arall, efallai ei fod e'n hoyw a'i fod yn priodi Anwen er mwyn cuddio hynny. Neu, meddyliodd Crid wedyn, falle fod ganddyn nhw ddealltwriaeth? Doedd hynny ddim yn amhosibl chwaith. Ac eniwe, doedd hyn yn ddim o'i busnes hi. Ie, cadw'n dawel fyddai orau, rhag corddi'r dyfroedd, yn enwedig a phethau'n mynd mor dda ar hyn o bryd. Pam fod y gwir mor bwysig os mai'r unig beth wnaiff e yw creu anhapusrwydd beth bynnag? Mae celu ambell beth yn naturiol, cadarnhaodd Crid. Os byddai pawb yn dweud y gwir, byddai'r byd yn stopio troi. A beth bynnag, roedd gan bob pâr eu cyfrinachau, meddyliodd.

Gafaelodd yn ei bag gan wneud yn siŵr nad oedd hi wedi anghofio'i gwisg nofio a'r holl drugareddau eraill. Wrth gerdded o'r ystafelloedd newid, sylwodd arni hi ei hun yn y drych. Edrychai'n ofnadwy a'i gwallt gwlyb yn gorwedd yn fflat ar ei phen. Roedd ei bochau'n goch i gyd hefyd, ond doedd ganddi ddim amynedd gwisgo unrhyw golur. Ac er ei bod hi'n edrych yn flêr, teimlai'n iach fel cneuen tu fewn.

Cerddodd ar hyd y coridorau chwyslyd tuag at yr allanfa ac wrth iddi droi'r gornel, daeth wyneb yn wyneb â Bryn. Doedd hi ddim wedi'i weld ers y noson wyllt honno yng Nghlwb True sbel yn ôl. Gwenodd arno am eiliad, yn ansicr a ddylai gychwyn y sgwrs yn Gymraeg neu yn Saesneg, ond dechreuodd e siarad cyn iddi gael cyfle.

'Hia love, how you doin?'

'Yeah, good thanks!' meddai Crid gan dynnu cudyn o wallt gwlyb o'i hwyneb. 'You?'

'Badminton,' meddai Bryn gan siglo'r bag oedd yn ei law i ddynodi ei fod yno am reswm.

'That's the way,' meddai Crid, gan deimlo braidd yn

annifyr nad oedd hi'n siŵr iawn beth i'w ddweud wrtho nesaf.

'Hey,' meddai Bryn, gan afael yn ei braich hi'n ofalus, 'and I can't believe the news about you and Ed!'

'Sorry?' holodd Crid, gan deimlo'r gwaed yn llifo o'i hwyneb.

'The baby,' meddai'n gyffrous. 'My God, I mean, he's just so chuffed. Absolutely loving the idea of being a dad, as you can imagine!' Chwarddodd Bryn. Syllodd Crid arno'n hir, gan drio ystyried pa ffordd orau i ymateb.

'Oh, God!' meddai Bryn gan sylweddoli, 'you haven't started telling people yet, have you? I'm sorry, he just couldn't resist! You know what he's like.'

Gwenodd Crid yn simsan gan wneud ei gorau glas i edrych yn hapus . 'No, no, it's fine.'

'You take care now, ok?' meddai Bryn, heb sylweddoli sut y teimlai Crid wrth sefyll yn y coridor cul. Plannodd Bryn gusan ar un o'i bochau coch hi. 'See you soon, yeah?'

Ac i ffwrdd â Bryn i newid. Am eiliad, safodd Crid yn stond yn y coridor, a'i chalon yn ei cheg. Yna, yn ara deg bach, cerddodd allan i'r dderbynfa. Daliodd yn dynn yn allweddi'r car gan edrych allan drwy'r ffenestri mawr gwydr. Ers iddi fod yn yr ystafell newid, roedd y tywydd wedi troi. Erbyn hyn, roedd hi'n tresio bwrw. Yn tresio bwrw go iawn.

*   *   *

Roedd Efan yn tiwnio am ddeg, felly gwell fyddai gorffen brecwast yn go glou a hithau eisoes yn 9:20. Yfodd ei baned yn gyflym, er ei bod yn rhy dwym.

Weithiau, roedd hyn yn deimlad pleserus. Llowcio te berwedig a llosgi dy lwnc.

Roedd e'n tiwnio yn y Groes-faen bore 'ma ac yn edrych ymlaen at gael gyrru'r car i gyrion y ddinas.

Am ryw reswm roedd e wedi deffro'n gynnar iawn ac wedi mynd am wac cyn cael brecwast. Cafodd y pleser rhyfedd o gerdded o amgylch Cornwall Street, Chester Street ac ar hyd Warwick Place gan igam-ogamu'r strydoedd wrth i bobl Grangetown ddeffro'n ara deg. Roedd yr awyr yn las, ond roedd hi'n dal braidd yn oer a hithau mor gynnar. Wrth iddo agor y drws am y tro cyntaf, llanwyd ei ffroenau â gwynt y bragdy. Arogl llwydni melys yr hops a'r barlys. Doedd e ddim yn cofio'r tro diwethaf iddo wynto'r gymysgedd. Dylai wneud hyn yn amlach, penderfynodd. Roedd e'n teimlo'n wirioneddol dda.

Ac ar ôl cyrraedd adref, roedd yn dal i deimlo'n ddigon bodlon ei fyd. Wrth iddo hofran yn y cyntedd yn edrych ar ei wyneb ei hun yn y drych, fe ganodd ei ffôn yn ei boced – bron iawn fel petai i fod i ddigwydd. Gwthiodd y sgwaryn tost olaf i'w geg a chnoi'n wyllt wrth estyn am ei ffôn. Roedd rhif anghyfarwydd yn fflachio. Mwy o waith, efallai, meddyliodd.

'Helô?' holodd, gyda'r tost yn dew ar ei lais.

'Helô, Mr Efan Harry?' holodd y llais yn ffurfiol.

'Ie,' meddai Efan, gan rwto'i law chwith yn ei jîns er mwyn cael gwared ar saim y *Flora Light* oddi ar ei fysedd.

'Ffonio ydw i ar ran Evans and Parker, cyfreithwyr yng Nghaerdydd.'

Teimlodd Efan ei dalcen yn tynhau a'r blew mân ar gefn ei wddf yn codi.

'Reit,' meddai. Gwen, meddyliodd, a neidiodd llun

ohoni i'w feddwl. Llun o'i hwyneb hi. Miloedd o luniau o'i hwyneb hi. Fel rhyw fath o glêr bach dros bob man.

'Mater yn ymwneud ag ewyllys Mrs Gwen Bowen sydd gen i.'

Doedd Efan ddim yn gwybod beth i'w deimlo. Roedd hyn yn rhyfedd o sydyn ar ôl ei hangladd hi. Gwyddai fod y pethau yma'n gallu cymryd misoedd. Ac eto, yn ei isymwybod, roedd e wedi bod yn edrych ymlaen at y dydd hwn ers sbel.

'Ok,' meddai Efan yn bwyllog, 'ie, ie dwi'n gweld.'

Ymlaen â'r dyn canol oed, yn ffurfiol. 'Derbyniwyd cyfarwyddiadau gan Mrs Bowen y dylai ei chyfreithwyr gysylltu'n uniongyrchol gyda chi, Mr Harry, yn fuan ar ôl ei marwolaeth.'

Aeth Efan i'r lolfa wrth i'r gŵr siarad. Eisteddodd ar y soffa a syllu ar sgrin wag y teledu. Roedd y lle'n dawel fel y bedd.

'Mhm,' meddai Efan, gan geisio swnio'n ffurfiol, a methu'n llwyr.

'Rhaid i fi nodi, cyn dechrau sôn am ddymuniadau Mrs Bowen, nad oes rheidrwydd i chi dderbyn y cynigion, ond mai dyma oedd ei dymuniadau hi.'

'Iep,' meddai Efan, 'iawn.' Roedd ei gledrau'n chwys i gyd am ryw reswm. Cofiodd ei geiriau hi'n glir, fel petai hi yn yr ystafell gydag e. *Fydda i ddim yn anghofio hyn, Efan. Fydda i ddim yn anghofio i chi fod mor dda wrtha i.*

'Dymuniad Mrs Bowen oedd mai chi oedd yn cael y cynnig cyntaf i ddod yn warchodwr ar ei chŵn hi. Mae yna ddau Pekingese, un o'r enw Arianwen a'r llall o'r enw Meredydd, yng ngofal y milfeddyg lleol ar hyn o bryd . . .'

Wrth i'r cyfreithiwr fynd yn ei flaen, eisteddodd Efan

yno'n dawel. Gwrandawodd ar y geiriau'n golchi drosto fel tonnau bychain. Doedd e ddim yn gallu credu'r hyn oedd yn cael ei ddweud.

'Y cŵn?' holodd Efan, er ei fod yn gwybod yr ateb yn barod.

'Ie, Mr Harry, y cŵn. Union eiriau Mrs Bowen oedd eich bod chi'n agos iawn atyn nhw ac mai chi fyddai hi'n ymddiried ynddo i ofalu am y cŵn wedi iddi farw.' Siaradai'r gŵr yn ofalus, yn afiach o ofalus.

Doedd dim geiriau yn dod i feddwl Efan. Ni allai feddwl am unrhyw beth addas i'w ddweud. Ceisiodd ymbalfalu am eiriau na fyddai'n gwneud iddo swnio fel twat llwyr. Ai dyma roedd hi wedi'i gynllunio ar hyd yr amser? Roedd e wedi disgwyl rhywbeth gwahanol i hyn. Rhywbeth mwy gwerthfawr. A phwy oedd hi'n meddwl oedd hi'n ei dwyllo wrth ddweud ei fod yn agos at y cŵn? Teimlai ias oer yn mynd i lawr ei gefn, a rhyw bang rhyfedd o euogrwydd yn eistedd yng nghefn ei lwnc. Ac ar yr un pryd, teimlai fel bachgen bach oedd wedi cael Robocop fel anrheg Dolig pan oedd e eisiau Transformer mewn gwirionedd. Nagoedd e wedi gwneud pethau'n ddigon clir? Roedd e ishe'r ffycin piano.

'Dwi ddim yn siŵr,' meddai Efan ar ôl ychydig, 'a . . . a o'n i'n agos at y cŵn, a gweud y gwir.'

'Fyddech chi'n hapus i ofalu amdanyn nhw, yn ôl dymuniad Mrs Bowen? Chi sydd i fod i gael y cynnig cyntaf.'

Llyncodd Efan. Doedd dim poer ar ôl yn ei geg. Teimlai ei dafod yn dew, bron iawn ei fod e eisiau chwydu dros y llawr.

'Ym, wel, dwi'n digwydd gwbod fod y cŵn wedi cael cartref da 'da'r person gymerodd nhw'n syth ar ôl i

Gwen, ar ôl i Mrs Bowen, ym, farw,' baglodd, a phob arlliw o ffurfioldeb wedi diflannu drwy'r drws cefn.

Clywodd Efan ryw siom rhyfedd yn llais y gŵr, fel petai'n *gutted* y byddai'n rhaid iddo wneud mwy o waith ar yr achos.

'Mhm, ie. Mae gen i enw yn y ffeiliau yn rhywle.'

'Boi neis,' meddai Efan gan weld wyneb Gwen yn syllu arno o gornel bella'r stafell, 'wy'n siŵr y bydde fe'n edrych ar ôl y cŵn yn dda. Fi'n sori, fi jyst yn gwbod y bydden i'n iwsles.'

'Os y'ch chi'n siŵr . . .' meddai'r robot eto.

'Ydw,' meddai Efan, 'hollol siŵr. Sori.'

Ond cyn iddo orffen yr alwad, neidiodd syniad i'w feddwl, 'ond cofiwch roi galwad eto, os oes unrhyw beth arall yn codi.'

Yn ddwfn iawn yn ei isymwybod, er ei fod e wedi cael y newyddion mwyaf *shit* yn yr holl fyd, roedd rhyw ddarn bach ohono'n dal i feddwl y byddai pethau'n troi mas yn wahanol.

'Wrth gwrs,' meddai'r robot. Bu saib, ac yna'n sydyn dechreuodd y cyfreithiwr siarad eto. 'Iawn 'te, os y'ch chi'n siŵr nad y'ch chi'n mynd i newid eich meddwl, bydd yn rhaid i mi wneud rhyw drefniadau eraill. '

Llanwyd Efan ag atgasedd tuag at y boi hwn. Oedd e'n fyddar neu beth? Roedd e wedi gwneud y peth yn gwbl amlwg. Wedi osgoi egluro ei fod e wedi torri'i galon, ac wedi osgoi crio fel bapa ar y ffôn. Wedi osgoi gweiddi, '*You cannot be FUCKING serious!*' Felly, yn dawel a diseremoni, dyma Efan yn rhoi'r ffôn i lawr.

Eisteddodd yn y lolfa am oriau maith, gan syllu i nunlle. Gwelodd gysgodion y dydd yn mynd a dod, a chlywodd synau Grangetown yn rhygnu ymlaen y tu allan i'r ffenest. Fu Gwen erioed yn fwy byw ym meddwl Efan nag yr oedd y funud hon. Roedd hi bron iawn yn eistedd ar y soffa gyda e. Anwybyddodd un o'i gwsmeriaid oedd yn ffonio i weld lle ddiawl roedd e. Anwybyddodd bawb a phopeth, a chanolbwyntio ar ei berthynas e gyda Gwen. Ceisiodd gofio pethau, a'i orfodi ei hun i dderbyn mai unigolion oedd pawb. Doedd dim modd i Gwen ddarllen ei feddwl. Ac yna, o bryd i'w gilydd, cofiodd am y peli bach blewog yn rhedeg yn ôl ac ymlaen dan draed. Y blydi Pekingese. Doedd e ddim yn siŵr a oedd e wedi teimlo cynifer o emosiynau gwahanol mewn un eisteddiad erioed. Yn bennaf oll, teimlai chwerwder nad oedd Gwen hyd yn oed wedi gallu ei ddeall. Pam fod pethau wastad yn mynd o chwith i Efan Harry? Gwylltiodd gydag ef ei hun wedyn am fod mor arwynebol. Ddylai e ddim fod wedi disgwyl etifeddu unrhyw beth. Wyddai e ddim pam ei fod e mor gandryll.

Am bum munud ar hugain wedi saith, cododd ar ei draed. Roedd wedi penderfynu ers amser beth roedd e'n mynd i'w wneud heno. Eisiau cadw oed oedd e. Eisiau ffarwelio â Gwen yn iawn a cheisio anghofio am yr ewyllys.

Gafaelodd yn allweddi'r car a mynd allan o'r tŷ. Ac aeth ag allweddi tŷ Gwen gydag e hefyd.

*   *   *

Eisteddodd Efan y tu allan i'r tŷ yn y Volvo. Doedd e ddim wedi parcio yn y man arferol. Byddai hynny wedi bod yn rhy od. Doedd hi ddim yn dywyll eto, ond roedd y gwyll yn crynhoi o'i gwmpas. Estynnodd i boced ei got a dod o hyd i'r allwedd. Am deimlad rhyfedd oedd ymweld â lle pan roedd y person roeddech chi'n mynd i ymweld â hi wedi mynd. Roedd popeth yn edrych yn wahanol, ac yn teimlo'n wahanol iawn hefyd. Ta waeth am hynny, roedd e'n ysu am gael gwneud un peth. Un peth bach, a byddai popeth yn iawn. Chwarae'r piano. Unwaith yn rhagor. Pwy bynnag fyddai'n ei gael e, doedden nhw ddim yn berchen arno heno. Fe oedd yn berchen arno heno. Fe oedd am ganu alawon arno . . .

*   *   *

Wrth iddo agor y drws, teimlai'r lle'n ddiarth; teimlai fel petai'n tarfu ar rywbeth. Roedd naws eithaf oeraidd yno, a'r goleuadau i gyd wedi'u diffodd. Llifai ambell ffrwd o oleuni diwedd-dydd drwy'r ffenestri. Roedd hi'n rhyfedd yno heb gi yn unman, ac esgidiau Gwen, sawl pâr ohonynt, yn dwt ac yn llonydd yn y cwtsh dan stâr.

Crwydrodd drwy'r tŷ nes cyrraedd y lolfa. Safodd wrth y drws am eiliad gan syllu i mewn. Edrychai popeth fel pìn mewn papur, y cyfan wedi'i osod yn ddestlus. Papurau newydd mewn pentwr wrth ymyl y gadair freichiau chwaethus, a phâr o sliperi wedi'u gosod yn berffaith dwt ar y carped.

Yng nghhornel yr ystafell, yn ei lordio hi, roedd y piano. Cerddodd Efan yn unswydd ato. Roedd y caead wedi'i dynnu i lawr a'r nodau'n gorwedd o'r golwg. Teimlai Efan yn chwerw o'i weld yn eistedd fan 'na. Ei fysedd e oedd i fod ar y nodau 'na, nid bysedd rhywun arall.

Aeth i eistedd wrth y stôl, a mentro chwilio am yr allwedd fach i agor y caead. Gwyddai y byddai Gwen wedi ei rhoi ar dop yr offeryn. Hynny yw, os mai Gwen oedd yn gyfrifol am ei gau. Estynnodd ei law yn reddfol at ben y piano, ac ymbalfalu am yr allwedd. Ie, dyna lle'r oedd hi. Estynnodd amdani. Wrth iddo droi'r allwedd yn nhwll clo'r offeryn, ni allai lai na theimlo bod Gwen yno gydag e. Roedd yn amhosibl meddwl am y piano heb feddwl amdani hi. Am ei llygaid gleision hi, am y ddeuawd chwaraeon nhw gyda'i gilydd. Teimlai ei fod yn rhannu rhyw fath o ddefod gyda hi wrth iddo godi'r caead a datgelu'r nodau ifori. Cyn iddo gael cyfle i orffwys y caead yn erbyn y piano, sylwodd ar amlen fach wen yn syrthio ar y carped. Pwysodd Efan i lawr, a chraffu ar gefn yr amlen. Ymlwybrodd ei ddwylo'n ddiog tuag ati a'i chodi o'r llawr. Roedd enw wedi ei sgwennu ar y blaen: Efan.

Syllodd Efan o'i amgylch am eiliad, gan boeni bod rhywun yn yr ystafell gydag e. Yna, yn araf bach, rhwygodd yr amlen ar agor, tynnu'r llythyr allan a syllu ar y cynnwys.

Annwyl Efan,

Dwi wedi bod yn dychmygu'r eiliad hon ers amser a dwi'n gallu eich dychmygu chi'n eistedd wrth ymyl y piano nawr. Erbyn hyn, chi yw ei berchennog, a dyw hynny ond yn iawn, achos chi wnaeth gymryd gofal ohono ar hyd y blynyddoedd. Chi oedd yr unig un oedd yn ei chwarae erbyn y diwedd, felly, ie, Efan, chi bia fe. Wy'n gwbod y byddwch chi wrth eich bodd.

Dwi'n siŵr y byddwch chi'n deall pam fy mod i wedi trefnu popeth yn y ffordd yma. Dwi'n siŵr i chi feddwl mod i'n fenyw ryfedd yn gofyn i chi gadw'r

cŵn, gan anghofio am y piano. Ond i fi, chi'n
gweld, roedd e'n holl bwysig fod fy nghyfoeth yn dod
gyda'r cŵn, achos nhw oedd fy nghyfoeth i. Mae'r
ffaith eich bod chi'n mynd i fod yn edrych ar ôl y
pethau oedd agosaf at fy nghalon i yn golygu ei bod
ond yn iawn mai chi sy'n cael y piano ac ambell un
o'r trugareddau eraill.

Wrth gwrs, fy merch fydd yn cael y tŷ, ond wy
am i chi ddeall mai chi sy'n cael y pethe oedd yn
golygu unrhyw beth i fi ar y blaned hon. Y cŵn.
Diolch am bopeth, Efan, ond yn bennaf, diolch am
warchod fy mabis i.

Gwen

X

Safodd Efan yn stond am ychydig funudau. Daliodd y llythyr yn ei law ac anadlu'n dawel. Yna, gydag un symudiad, rhwygodd y llythyr yn ddarnau mân cyn gwthio'r stribedi gwyn i boced ei drowsus. Cododd ar ei draed yn dawel, cau caead y piano a'i gloi'n ofalus gyda'r allwedd fach. Gosododd yr allwedd yn ddestlus ar ben y piano, gan wneud yn berffaith siŵr nad oedd ôl ei ymweliad i'w weld yn unman.

Crwydrodd o'r ystafell, a'r dydd yn prysur droi'n nos. Bellach, roedd Efan yn sefyll mewn tŷ yn llawn cysgodion. Ymlaen ag e, drwy'r cyntedd tuag at y drws ffrynt. Ac yno, yn yr hanner gwyll, gadawodd allwedd y drws wrth ymyl y ffôn, cyn diflannu o'r tŷ am y tro olaf.

Dyma nofel am gariad,
gwyliau a gwallgofrwydd,
am farfalle, ffrindiau a ffawd.

Mae Anest Gwyn wedi cael
llond bol ar haf diflas
Caerdydd.
Mae'r glaw ar strydoedd
Canton yr un mor fydlyd
frown â'r dŵr golchi
brwshys yn ei dosbarth
celf. Mae hi'n ysu am gael
cyfle i ddianc i rywle braf.
Trwy ryfedd wyrth, daw'r
cyfle i fynd ar wyliau i'r
Eidal – a hynny am ddim.
Pwy fyddai'n gwrthod?
Yng nghwmni Mrs
Blanche, ei ffrind
enigmatig o'r dosbarth peintio, caiff Anest brofiadau a
fydd yn newid pethau am byth.

Ond ynghanol gwres llethol yr Eidal, datblyga perthynas y ferch
ifanc a'r hen wraig yn glymau cnotiog wrth iddynt brofi antur
rhyfedd. O'u cwmpas mae stori Mariella, Marco a thrigolion
eraill y pentre Toscanaidd delfrydol yn ymddatod yn edefyn hir
gan godi cwestiynau hwyliog a heriol am fywyd. Yn y gomedi
dywyll hon cawn gip ar ragrith, cyffro ac eironi bywyd yn
llygad yr haul.

Un o lyfrau Rhestr Hir Llyfr y Flwyddyn 2007.

ISBN 978 1 84323 706 8

£7.99

Sam Jones is a perfectly ordinary Valleys girl.
Except for the random deaths, that is. Random deaths that she only just manages to avoid. She has plenty of other crosses to bear: the custard factory where she works; Nanna's farting and Anti Peg's swearing; her Mam's boyfriend; her squaddie brother. Not to mention the posh Welshies at the end of the road.
With its comic darkness, its write-as-she-speaks style and its recognition of how the ordinary and eccentric are two sides of the same coin, this is a novel that will have you laughing and crying into your custard.

A delightful novel that bridges cultures and will make you chuckle – and splutter – into your favourite dessert.
Steve Dubé

Shortlisted for the Spread the Word: Books to Talk About 2009 award.

ISBN 978 1 84323 824 9 £7.99